Sliver

Voor Dorothy Olding

Ira Levin

Sliver

Zwarte Beertjes

Oorspronkelijke titel
Sliver
© 1990 Ira Levin
Vertaling
Marijke Versluys
© 1991 A.W. Bruna Uitgevers B.V., Utrecht

ISBN 90 449 2532 6
NUGI 331

Derde druk, januari 1996

Dit is een roman, wat wil zeggen dat de gebeurtenissen en personen die erin worden beschreven niet op de werkelijkheid zijn gebaseerd. De schrijver is dank verschuldigd aan Paul Busman, Gloria Dougall, Peter L. Felcher, Herbert E. Kaplan, Adam Levin, Jed Levin en Gene Young, die hem met raad en daad ter zijde hebben gestaan.

Deel 1

1

De maandagochtend begon goed. De Hoffmans hadden weer eens flink ruzie, dr. Palme voerde een telefoongesprek met een ex-patiënt die zelfmoordneigingen had, de hulp van het echtpaar Coles verlustigde zich aan een van hun vibrators en Lesley en Phil ontmoetten elkaar in de wasruimte. Maar het mooiste kwam nog. MacEvoy kwam de hal binnen met een vrouw die sprekend leek op Thea Marshall, met hetzelfde ovale gezicht en hetzelfde donkere haar. Kennelijk kwam ze naar appartement 20B kijken, dat vorige week een nieuw verfje had gekregen.

Hij zag hen in lift nummer twee naar boven gaan. Ze had een goed figuur – lang en slank, maar goed voorzien – en ze droeg een chic, vrij donker mantelpakje. Even keek ze zijn kant op, daarna stond ze met een hand op haar schoudertas te kijken terwijl MacEvoy de lof zong van de centrale airconditioning en de Poggenpohl-keuken. Een jaar of vijf-, zesendertig. Een treffende gelijkenis.

Hij schakelde over naar de woonkamer en slaapkamer van 20B en zag haar door de gang en de lege woonkamer lopen, waarbij haar hakken over het parket klikklakten. Toen ze bij het raam ging staan om uit te kijken over de lagere gebouwen aan Madison, bleek ze er ook van achteren goed uit te zien.

'Het uitzicht is inderdaad grandioos,' zei ze. Haar stem, melodieus en diep, riep herinneringen op aan die van Thea Marshall.

Hij kon geen gladde ring ontdekken, maar ze was vast getrouwd of woonde samen. Vanzelfsprekend zou hij de nieuwe huurster zijn fiat geven, aangenomen tenminste dat ze de flat wilde hebben. Hij deed een schietgebedje.

Ze wendde zich van het raam af, wierp een blik om zich heen en glimlachte. Keek omhoog. Terwijl ze dichterbij kwam, keek ze hem recht aan... Thea Marshall keek hem recht aan. De adem stokte hem in de keel.

'Wat een prachtige lamp,' zei ze. De vlakke, glazen plafonnière had een geschulpte rand in art-decostijl. In de verchroomde knop in het midden hing haar kleine, in warmrood gehulde spiegelbeeld ondersteboven op haar neer te kijken.

'Mooi, hè?' zei mevrouw MacEvoy, terwijl ze naast haar kwam staan. 'Ze zijn in het hele gebouw aangebracht. Er is werkelijk op niets beknibbeld. Oorspronkelijk zouden het koopflats worden. Dat in aanmerking genomen is de huur een schijntje.'

De huur was hoog, maar voor haar net op te brengen. Ze liep nog eens naar de gang, draaide zich om en nam de kamer in zich op. Pas wit geschilderd, minstens vijftig vierkante meter, een hoog, breed raam, parket, een open keuken... Als de rest van het appartement van hetzelfde niveau was, zou ze meteen moeten beslissen, al was het de eerste flat uit de rubriek 'Te huur' waar ze was gaan kijken. Wilde ze ècht uit Bank Street weg? Had ze werkelijk zin in alle rompslomp die een verhuizing met zich meebracht?

Ze liep de gang door. De keuken was degelijk: lichtbruine kunststof, roestvrij staal. T.l.-lampen onder de bovenkastjes, keurige, solide apparatuur. Ruim bemeten werkblad.

De badkamer ernaast was een tikje overdreven, maar wel leuk. Zwartglazen wanden, zwart sanitair, kranen van chroom; een groot bad met een aparte douche. T.l.-buizen bij het toiletkastje boven de wastafel, en ook hier een plafonnière in art-decostijl met een verchroomde knop in het midden, maar iets kleiner dan het exemplaar in de woonkamer.

De slaapkamer, aan het einde van de gang, was bijna even groot als de woonkamer; ook deze was net wit geverfd. De wand links bestond geheel uit kasten met harmonikadeuren. Een groot raam aan de achterkant, met ook hier een geweldig uitzicht: een stukje van het park, waar het blad aan de bomen al geel begon te worden, en een gedeelte van het Reservoir en het dak van een herenhuis in gotische stijl aan Fifth Avenue. Meer dan genoeg ruimte voor haar bureau dat rechts tegen de wand bij het raam kon staan, terwijl haar bed vanzelfsprekend tegenover het raam een plaats zou vinden. Met een zucht keek ze van haar omgekeerde spiegelbeeld in de plafonnière naar mevrouw MacEvoy, die in de nis bij de deur stond te wachten.

'Dit is de eerste flat waar ik ben gaan kijken,' zei ze.

Mevrouw MacEvoy glimlachte. 'Het is een lot uit de loterij,' zei ze. 'Ik zou hem niet laten schieten.'

Ze liepen de gang weer in. Mevrouw MacEvoy liet de linnenkast zien.

Ze keek nog eens om zich heen en dacht aan haar mooie flat in Bank Street, met de hoge kamers en de echte open haard. En met de nachtclub op de hoek, de kakkerlakken, de twee jaar met Jeff en de zes jaar met Alex.

'Ik doe het,' zei ze.

Mevrouw MacEvoy glimlachte. 'Dan gaan we weer naar mijn kantoor,' zei ze. 'Daar kunt u het aanvraagformulier invullen en daarna zal ik de zaak administratief in orde maken.'

Edgars telefoontje liet op zich wachten, wat hem op de zenuwen werkte. Het kwam pas woensdag in de namiddag.

'Hallo, Edgar,' zei hij, terwijl hij de twee grote schermen uitzette. 'Hoe gaat het met je?'

'Ik mag niet mopperen. En hoe is het met jou?'

'Prima,' antwoordde hij.

'De cijfers over september zijn onderweg. Ik denk dat je niet ontevreden zult zijn, als je nagaat hoe de markt zich heeft gedragen. Wat het gebouw betreft: ik heb Mills gezegd dat hij de kwestie van de hal nog eens met Dmitri moet opnemen.'

'Laat hij het eens in het Russisch proberen,' zei hij. 'Die marmeren tegel ligt er nog steeds. Die twee tegels, bedoel ik.'

'Ik weet zeker dat die nieuwe tegels al besteld zijn. Ik zal het nagaan en dan bel ik nog terug. Mevrouw MacEvoy heeft een aspirant huurster voor 20B. Had ik je verteld dat die leeg kwam?'

'Ja,' zei hij.

'Kay Norris. Negenendertig, gescheiden. Ze is redactrice bij uitgeverij Diadem, dus het zal wel een rustig type zijn. Financiële en andere referenties uitstekend. Mevrouw MacEvoy zegt dat ze knap is om te zien. Ze heeft één kat.'

'Kay Norris, zei je?'

'Inderdaad.'

Hij noteerde de naam op zijn klembord en zei: 'Zo te horen niets op aan te merken. Zeg tegen Mills dat iedereen extra goed voor haar zorgt.'

'Komt in orde. Dat was voorlopig alles...'

'Dan zal ik je niet langer ophouden,' zei hij en verbrak de verbinding.

Hij onderstreepte de naam: *Kay Norris.*

Negenendertig... Ouder dan hij had gedacht.

Thea Marshall was veertig geweest toen ze stierf. Hij haalde diep adem en slaakte een lange zucht.

Hij schakelde de apparatuur in en zette haar woonkamer op scherm één en haar slaapkamer op scherm twee, net als maandagochtend. De slaapkamer baadde in het zonlicht dat door het kale raam binnenstroomde. Hij zette dit scherm iets donkerder en dat in de woonkamer wat lichter.

Met zijn handen op het bedieningspaneel staarde hij naar de twee lege vertrekken op het dubbele scherm. Links en rechts daarvan verspreidden de vele rijen monitors een blauwwit schijnsel, waarin zich hier en daar iets bewoog.

Donderdagavond belde ze Alex en zei tegen hem dat hij zijn boeken moest komen halen.

'O god, Kay, ik weet dat ik het al vaker heb gezegd, maar je had werkelijk geen slechter moment kunnen kiezen. De cursus is net begonnen. Je zult ze nog een paar maanden moeten bewaren.'

'Sorry, dat kan niet,' zei ze. 'Morgen over een week verhuis ik. Of je komt ze halen, of ik zet ze buiten. Ik heb geen belangstelling meer voor middeleeuwse architectuur. De hemel mag weten hoe dat komt.'

Hij wist nog niet dat ze met Jeff had gebroken. Er klonk oprecht medeleven uit zijn stem. 'Uitstekend idee om te verhuizen, prima. Met een schone lei beginnen. Waar ga je heen?'

Ze vertelde het hem. 'De flat ligt op de op één na bovenste verdieping,' zei ze. 'Vanuit de woonkamer kun je een stukje East River zien, en vanuit de slaapkamer een deel van Central Park. Een zee van licht. Het is een uitstekende buurt, veel goed onderhouden oude panden, laagbouw, en het Cooper-Hewitt Museum is vlakbij.'

'Madison 1300...' Op de peinzende toon die hij bezigde voordat hij iets begon af te kraken. 'Zo'n smalle, hoge schijf?'

Ze haalde eens diep adem en antwoordde: 'Ja...'

'Kay, dat is de flat waar vorige winter die man in de liftkoker is onthoofd. Weet je nog wel? De conciërge. Er zijn al drie of vier mensen overleden, terwijl het gebouw pas een paar jaar staat. Ik weet nog dat ik dacht: jammer dat het nummer 1300 is, want dat geeft voedsel aan het bijgeloof. Zo werd het ook op de televisie gebracht: "Madison Avenue 1300 brengt ongeluk", of iets van die strekking.

Maar jij bent natuurlijk...'
'Alex,' zei ze, 'dat wist ik al. Denk je soms dat ik bijgelovig ben?
Als dat zo was, was ik er toch niet over begonnen?'
'Ik wilde juist zeggen dat jij natuurlijk *niet bijgelovig* bent, maar ik
dacht dat je het toch zou willen weten, als je het nog niet wist.'
'De boeken, Alex,' zei ze.
Ze spraken af dat hij ze zondagmiddag zou komen inpakken en ze
de week daarop zou laten ophalen. Ze namen afscheid en Kay legde
neer.
Ze had het kunnen weten. Hij was nu eenmaal een onverbeterlijke
zwartkijker.
Het was afschuwelijk van die conciërge, maar toch was het een
prachtige flat. Alex en een of andere sensatiebeluste t.v.-journalist
zouden haar het wonen daar niet tegenmaken. Drie of vier sterfgevallen in drie jaar tijd was niet bijzonder veel; twee appartementen
per verdieping betekende dat er in totaal veertig waren, waarschijnlijk in de meeste gevallen bewoond door echtparen. Zestig à
zeventig bewoners. Het verloop niet meegerekend. En dan het personeel nog.
Felice streek langs haar enkel. Ze tilde haar op, hield haar tegen
haar schouder en liefkoosde de spinnende lapjespoes. 'O Felice, ik
heb een grote verrassing voor je! Een hele nieuwe wereld. Geen
kakkerlakken meer om mee te spelen. Zielepoot. Tenminste, ik
hoop dat die er niet zijn. Je weet maar nooit.'

2

Een man in een lichtblauwe sweater haastte zich voor haar uit. Hij duwde met gestrekte arm tegen de zware glazen deur en hield die voor haar open. Kay had twee ondiepe kartonnen dozen met kostbare, breekbare spullen bij zich, boven op elkaar, en de portier laadde koffers in de taxi waar zij net uit gestapt was. Ze was dan ook blij met de hulp. Ze glimlachte en bedankte de man terwijl ze langs hem heen liep. Hij was jong, had blauwe ogen en was knap om te zien.

Bij de ingang naar de postkamer zat een klusjesman tegels uit de marmeren vloer te hakken. Boven de liftdeuren gloeiden rode lampjes: B en 15.

De jongeman was achter haar aan de hal doorgelopen en stond een paar passen rechts van haar. Ze wierp hem een zijdelingse blik toe terwijl hij van het ene lichtpaneel naar het andere keek; hij had een tas met boodschappen in de hand waar *I-hartje-New York* op stond. Sportschoenen, spijkerbroek, de lichtblauwe sweater. Hij zag er verzorgd uit, was ongeveer even groot als zij en had kastanjebruin haar. Een jaar of vijf-, zesentwintig. Hij draaide zich om en bood aan: 'Zal ik er eentje overnemen?'

'Ze zijn niet zo erg zwaar,' zei ze. 'Maar toch bedankt.'

Hij glimlachte haar toe. Een overrompelende glimlach, breed, met links en rechts een kuiltje. Blauwe, sprankelende ogen.

Ze glimlachte en keek naar de lichtjes: B en 15.

'Iemand houdt ze vast,' zei de zeer jonge man. Hij draaide zich om en liep naar de andere kant van de hal, waar te midden van weelderige groene planten een balie van lichtbruin marmer stond, waarin enkele monitors horizontaal waren ingebouwd. De portier kwam binnen. Hij heette Terry, was fors gebouwd, droeg een grijs uniform en had een verweerd gezicht. De laatste keer dat ze hem had gezien had ze hem tien dollar in de hand gedrukt. Hij keek haar teleurgesteld aan. 'Het spijt me dat ik de deur niet voor u kon openhouden.'

'Dat geeft niet,' zei ze.

'Die vent op de vijftiende houdt de lift weer vast,' zei de jongeman. Terry liep hoofdschuddend naar de monitors. 'Die Hoffmans ook altijd…' Hij boog zich over de balie, tuurde en drukte een toets in. Hield die ingedrukt en draaide zich naar haar om. 'Dmitri is de andere lift aan het inrichten voor de verhuizers,' zei hij.

'Het zal nog wel even duren voor ze komen,' zei ze. 'Ze zouden eerst gaan eten.'

Hij liep naar de deur. 'Ik bel u wel als ik ze zie.'

'De firma heet Vrouwen Verhuizen Vrouwen!' riep ze hem over de dozen heen na.

Net op het moment dat Terry de deur opendeed voor een jogger in trainingspak-met-capuchon, reed er een politiewagen met loeiende sirene en zwaailicht langs .

De jongeman kwam terug. 'De lift is onderweg,' zei hij. 'Komt u hier wonen?'

'Ja,' antwoordde ze. 'In 20B.'

'Ik zit in 13A,' zei hij. 'Pete Henderson.'

'Hallo,' zei ze en glimlachte hem over de dozen heen toe. 'Kay Norris.' De jogger monsterde haar terwijl hij pas op de plaats maakte. Toen ze zijn kant op keek, wendde hij zijn blik af en keek naar de man die de tegels zat uit te bikken. Magere kop en een peper-en-zout snor, een jaar of veertig.

'Waar heb je hiervoor gewoond?' wilde Pete Henderson weten.

'Bank Street,' vertelde ze. 'In de Village.'

De liftdeur gleed open. Er schoot een schnauzer naar buiten. Het beestje klauwde over de marmeren vloer en werd in toom gehouden door een vrouw in een blauw spijkerpak. Ze droeg een zonnebril met spiegelende glazen en een wit sjaaltje. De man achter haar droeg een zonnebril met spiegelende glazen en een baseballpetje, een vliegerjasje en een kaki broek. Hij ging naast de vrouw lopen. Ze haakten hun vingers in elkaar en liepen achter de schnauzer aan naar de deur.

Kay liep met de dozen de lift in, die met lichtbruin, leerachtig materiaal was bekleed, en draaide zich om. Pete Henderson drukte de knopjes 13 en 20 in en keek naar haar. Ze glimlachte. Hij knikte de jogger toe, die terugknikte, op 9 drukte en met zijn gezicht naar de dichtschuivende deur ging staan. Donkere vochtplekken tekenden zich af op zijn grijze trainingspak.

Kay keek naar de verspringende getallen boven de deur, naar de videocamera in de hoek. Fronste. Natuurlijk, bewakingscamera's hadden hun nut. Er ging zelfs iets geruststellends van uit, maar tegelijkertijd ook iets verontrustends, omdat ze duidden op onzichtbare toeschouwers.

De deur schoof open. De hal van de negende verdieping leek als twee druppels water op die van de twintigste en de andere die ze had gezien. Een donkere kloostertafel en een spiegel met vergulde rand tegen een zwart-wit geruite wand, lichtbruin tapijt. De man-met-capuchon ging rechtsaf, naar appartement 9A, waarna de liftdeur weer dichtschoof.

'Ik ken de buurt aardig goed,' zei Pete Henderson, 'dus als je iets wilt weten over de winkels of zo...'

'Hoe is de supermarkt aan de overkant?' vroeg ze.

'Prima,' antwoordde hij. 'Daar heb ik net boodschappen gedaan. Aan Lexington is een Sloan's, die is goedkoper.' De deur ging open.

'Goed dat ik het weet,' zei ze terwijl hij de hal van de dertiende verdieping op ging. Zwart-wit ruitje, lichtbruin tapijt.

Hij draaide zich om, legde een hand tegen de deur en glimlachte zijn overrompelende glimlach. 'Welkom in Madison 1300,' zei hij. 'Ik hoop dat je het hier naar je zin zult hebben.'

Ze lachte hem over de dozen heen toe. 'Dank je.'

Hij glimlachte en bleef de deur openhouden.

Ze zei: 'Ze beginnen nu wel zwaar te worden...'

'O god, sorry!' Meteen trok hij zijn hand terug. De deur begon dicht te glijden. 'Tot ziens!' zei hij.

'Tot ziens,' zei ze terwijl de deur zich sloot.

Ze glimlachte.

Wat een spetter, die Pete Henderson.

Zevenentwintig, hooguit.

Nadat de verhuisters waren vertrokken en Kay de rommel in de stortkoker in het trappenhuis had gegooid, waste ze af, schonk een glas mineraalwater in en nam haar omgeving in ogenschouw. In het zachte namiddaglicht zag haar mengelmoesje van modern en negentiende-eeuws meubilair er veel minder armoedig uit dan ze had gevreesd. Als de slechtste stukken waren vervangen – misschien door art deco, passend bij de plafonnières – en de dozen waren opgeruimd, de boeken op de planken stonden en schilderijen en gordijnen waren opgehangen, was deze lichte flat – met het magnifieke uitzicht, de post-ijstijdkeuken, idem badkamer en de gebenedijde rust – beslist in alle opzichten een verbetering. En er kleefden geen herinneringen aan! Het enige dat ze zou missen was de open haard. Ook Felice zou die missen, want zodra ze het scherm had horen schuiven was ze steevast aan komen rennen...

Kay belde Roxie en stelde voor om Felice die avond nog op te komen halen, maar Roxie moest werken en wilde de afspraak houden zoals hij was; zij zou de poes de volgende middag brengen en meehelpen met uitpakken. Misschien konden ze samen een hapje gaan eten. Fletcher was er niet. Felice maakte het prima.

Ze nam contact op met Sara op kantoor om te horen wat voor telefoontjes er waren binnengekomen. Veel waren het er niet en alles kon tot maandag wachten. Het weerbericht, dat voor het weekend ideaal nazomerweer voorspelde, had voor een rustige dag gezorgd, terwijl het normaal op vrijdag toch al niet druk was. Ze zei tegen Sara dat ze naar huis mocht.

Ze besloot eerst boodschappen te gaan doen en daarna aan de dozen te beginnen. Nadat ze het antwoordapparaat had uitgepakt, geïnstalleerd en gecontroleerd, zette ze het aan. Ze zocht haar maïsgele sweater op en trok hem over haar overhemdblouse heen aan. Voor de badkamerspiegel duwde ze haar kapsel in model en bracht twee streken lippenstift en wat blusher aan. Portemonnaie en sleutels stopte ze in de zakken van haar jeans.

Op de zeventiende verdieping stapte een kalende man in een net pak de lift in. Ze knikten elkaar toe en zijn hand ging naar het al oplichtende knopje voor de begane grond. Toen hij zag dat het niet meer nodig was, deed hij een stapje achteruit. Op de achtste kwam een in het donkergroen geklede vrouw binnen; ze was gedrongen, had een hoekig gezicht, een zwarte pony en steil haar. Ze monsterde Kay vanonder oogleden waar voor een hele week mascara en zilverblauwe schaduw op zat, draaide zich om en ging met haar gezicht naar de deur staan. Haar tas en hooggehakte schoenen waren van slangeleer; ook haar mantelpak zag er duur uit. Parfumgeur doortrok de lucht. Giorgio, veel te royaal gesprenkeld.

Rechts in de hal zag ze Dmitri staan, met zijn knuisten in zijn zij en zijn hoofd met de ruige haardos omlaaggebogen. Ze ging naar hem toe, in het reukspoor van de vrouw in het groen, die naar de postkamer liep.

Dmitri keek op. Ze bedankte hem voor zijn hulp bij de verhuizing, die mede daardoor probleemloos was verlopen. Ze had hem onlangs dubbel zoveel in de hand gedrukt als de portier.

'Graag gedaan,' zei hij met een brede glimlach die zijn wangen deed opbollen. 'Ik hoop alles is naar wens, *mies* Norris.'

'Alles is in orde,' antwoordde ze. Ze keek neer op de marmeren tegels die waren vervangen. 'Ziet er goed uit.'

Hij schudde zijn hoofd. 'Nee,' zei hij. 'Beheerder zal zeggen: is te licht. Ziet u? Alle andere zijn beetje licht, deze tè licht. Hij zal zeggen: deugt niet.' Hij slaakte een diepe zucht.

'Het komt er heel dichtbij,' zei ze.

'Vindt u?' Zijn donkere ogen keken haar aan.

'Ik vind het zo mooi genoeg,' zei ze. 'Nogmaals bedankt.'

'Graag gedaan, *mies* Norris,' zei hij. 'Alstublieft. U problemen, u mij bellen.'

Ze liep naar de deur en trok hem open. De lange man met wie ze in de lift had gestaan stond onder de markies te wachten, terwijl de portier, een die ze nog niet eerder had gezien, op zijn fluitje blies en gebaarde naar het verkeer dat kwam aanrijden. Ze hield de deur achter zich open voor een man met grijs haar, gekleed in een sweatshirt waarop de kop van Beethoven stond afgebeeld. Hij pakte de rand van de deur beet en keek haar aan met ogen waaronder donkere wallen lagen. Glimlachend draaide ze zich om en liep naar de hoek van Madison en Ninety-second.

Terwijl ze zich bij de wachtende mensen voegde, sprong het voetgangerslicht van rood op groen. Ze stak Madison over en liep op haar gemak aan de overkant verder. Ze keek binnen bij een restaurantje, Sarabeth's, de entree van Hotel Wales en nog een restaurant, Island, waarvan de voordeur vanwege het zachte weer openstond. Ze ging naar Patrick Murphy's Market.

Lopend door de smalle gangpaden, waarlangs de artikelen bijna tot het plafond opgetast stonden, zocht en vond ze kattevoer en kattebakkorrels, yoghurt, vruchtesap en schoonmaakmiddelen. De prijzen lagen hoger dan in de Village, maar dat had ze van tevoren geweten. Nu ze de veertig naderde, vond ze, mocht ze zichzelf wel een beetje gaan verwennen. Ze liep terug naar de diepvrieskist en koos een bakje roomijs met stukjes chocola erin.

Toen ze zich met haar karretje in de kortste rij voor de twee kassa's had opgesteld, kwam de man in het Beethoven-sweatshirt, met een mandje aan zijn arm, achter haar staan. Hij was de zestig al gepasseerd; zijn grijze manen zagen er onverzorgd uit. Ook Beethovens haardos en gezicht waren grijs: grauwe, door het wassen verbleekte lijntjes op een paarsige ondergrond. In het mandje zaten een pak zeeppoeder en een paar blikjes sardientjes.

'Hallo,' zei hij. Kennelijk had hij op zijn gemak gewinkeld, of wie weet was hij eerst nog ergens anders heen geweest.

'Hallo,' zei ze. 'Gaat u maar voor, hoor.'

'Graag,' antwoordde hij en liep om haar heen terwijl zij haar karretje achteruit trok. Hij draaide zich om en keek haar aan. Hij was iets kleiner dan zij; in zijn donker omrande ogen twinkelde een lichtje. 'U bent vandaag verhuisd, hè?' zei hij. Zijn stem klonk een tikje hees.

Ze knikte.

'Ik ben Sam Yale,' zei hij. 'Welkom in 1300. Een regelrecht rampjaar.'

Ze glimlachte. 'Kay Norris,' zei ze, terwijl ze haar hersens pijnigde. Waar had ze de naam Sam Yale toch eerder gehoord? Of gezien?

'Je had laatst een schilderij bij je,' zei hij, terwijl hij achterwaarts naar de kassa liep. 'Is dat soms een Hopper?'

'Was het maar waar,' zei ze, terwijl ze met haar karretje met hem meeliep. 'Het is geschilderd door een zekere Zwick, een bewonderaar van Hopper.'

'Een fraai stuk,' zei hij. 'Tenminste, gezien vanuit het raam op de derde verdieping. Ik woon in 3B.'

'Bent u kunstschilder?' vroeg ze.

'Was het maar waar,' zei hij en draaide zich om. Hij liep door en deponeerde zijn mandje voor de caissière.

Kay zette haar karretje tegen de counter en begon vast uit te pakken, terwijl Sam Yale – waar was ze die naam toch tegengekomen? – zijn zeep en sardientjes betaalde.

Hij wachtte bij de uitgang, met zijn tasje met *I-hartje-New-York* erop, en bestudeerde haar terwijl de caissière Kays boodschappen aansloeg, wisselgeld teruggaf en alles inpakte, in twee tasjes.

Toen ze naar buiten kwamen, begonnen de straatlantaarns op te gloeien onder een violet getinte hemel. Het verkeer zat vast en er werd getoeterd; ook op het trottoir was het druk.

'Ik neem aan,' zei hij, 'dat een vrouw die Vrouwen Verhuizen Vrouwen inschakelt liever zelf haar spullen draagt. Klopt dat?'

Ze glimlachte en antwoordde: 'Deze keer wel.'

'Dat komt mij goed uit...'

Terwijl ze naar de hoek liepen, keek Kay naar de torenhoge licht-bruine schijf van nummer 1300. De violetkleurige hemel weer-kaatste in de twee rijen ramen van de smalle, hoge voorgevel. Ze zocht haar eigen raam op, rechtsboven, op de op één na bovenste verdieping.

'Het is zo lelijk, dat het pijn doet aan je ogen, vind je ook niet?' zei Sam Yale.

'De buren zullen er wel niet blij mee zijn,' zei ze.

'Ze hebben er jaren actie tegen gevoerd.'

Ze keek hem van opzij aan. Zijn neus was lang geleden gebroken geweest; over zijn stoppelige wang liepen littekens. Bij de stoplich-ten op de hoek moesten ze wachten.

'Ik weet zeker dat ik je naam ergens heb gezien, of gehoord,' zei ze.

'Verrek,' zei hij, met zijn ogen op het verkeerslicht gericht. 'Dat moet dan wel heel lang geleden zijn. Ik ben regisseur geweest, bij de t.v., in de zogenaamde gouden eeuw. Toen televisie nog zwart-wit was en live uit New York kwam.' Hij keek haar aan. 'Toen zat jij nog in de kinderstoel te kijken.'

'Ik mocht pas kijken toen ik zestien was,' zei ze. 'Mijn ouders wa-ren allebei docent Engels.'

'Je hebt niet veel gemist,' zei hij. 'Kinderprogramma's zoals *Ku-kla, Fran* en *Ollie*. De rest wordt danig overschat. Maar dat wil niet zeggen dat het niet beter was dan die bagger van tegenwoordig.'

Het licht sprong op groen. Ze begonnen over te steken.

'Nu weet ik het weer,' zei ze, terwijl ze hem glimlachend aankeek. 'Je hebt een toneelstuk geregisseerd waar Thea Marshall in meespeelde.'

Hij bleef midden op straat staan; zijn donker omrande ogen namen haar op.

Ook zij stond stil. 'Ik heb er een band van gezien in het omroepmu-seum,' vertelde ze. 'Vorig jaar. Ze zeggen wel eens tegen me dat ik op haar lijk.' Mensen haastten zich langs hen heen. 'Pas op, anders wordt het onze dood,' zei ze.

Ze vervolgden hun weg.

'De gelijkenis is treffend,' zei hij. 'Zelfs het timbre van de stem.'

'Ik zie het zelf helemaal niet,' zei ze. 'Nou ja, een beetje mis-schien...'

Ze bleef op het trottoir staan en wendde zich naar hem toe. 'Daar-om ben je me gevolgd,' zei ze.

Hij knikte, terwijl de wind door zijn grijze haren speelde. 'Wees maar niet bang. Ik zal je niet lastig vallen,' zei hij. 'Ik wilde je alleen van dichterbij bekijken. Ze was echt mijn grote liefde niet. Ik heb een paar keer met haar samengewerkt, meer niet.'

Ze liepen naar de luifel boven de ingang van hun flat.

'Waar is ze aan overleden?' vroeg ze.

'Ze heeft haar nek gebroken. Van de trap gevallen.'

Kay zuchtte en schudde haar hoofd.

De portier, een lange, magere, bebrilde man van middelbare leeftijd, schoot toe.

'Hallo, Walt,' zei Sam Yale.

Terwijl Kay zich voorstelde, nam Walt haar tasjes van haar over.

'Ik moet nog even een boodschap doen bij Feldman's,' zei Sam Yale. 'Welk stuk heb je gezien?'

'Het speelde in een strandhuisje,' zei ze. 'Paul Newman had ook een rol, in zijn jonge jaren.'

The Chambered Nautilus.'

'Klopt.'

Hij knikte. 'In de serie *The Steel Hour*, van Tad Mosel. Ze speelde die rol niet slecht.'

'Ze speelde geweldig goed,' zei Kay. 'Iedereen trouwens. Het was een roerend stuk, voorbeeldig gebracht.'

'Dank je,' zei hij en glimlachte haar toe. 'Tot ziens,' voegde hij eraan toe. Daarna draaide hij zich om en liep weg.

'Tot ziens,' zei ze, terwijl ze hem nakeek. Hij stapte met energieke tred naar de huishoudzaak een eindje verderop, op zijn zwarte gympjes, in zijn spijkerbroek en vale, paarsige sweater.

Kay draaide zich om. Walt, in zijn grijze uniform, stond in de hal met zijn rug tegen de open deur naar haar te kijken, met haar twee tasjes in één hand.

'Sorry,' zei ze. Ze liep langs hem heen de hal in, naar de linker lift, die openstond. Al lopende knipte ze haar portemonnaie open.

Hij droeg haar de tasjes na en zette ze bij de liftdeur op de grond.

'Dank je,' zei ze glimlachend en stak haar hand uit.

Hij richtte zich op. Zijn gezicht was doorgroefd, terwijl zijn bril met het stalen montuur het licht weerkaatste. Zijn hand ontmoette de hare. 'Dank u, mevrouw Norris,' zei hij met een voor zijn magere gestalte verrassend sonore bariton. 'Prettig dat u hier komen wonen.' Hij trok zijn hand terug en deed een stap naar achteren.

'Dank je, Walt. Het bevalt me hier goed,' zei ze en drukte op het knopje voor de twintigste verdieping.

De deur gleed dicht. Ze keek naar de verspringende getallen erboven.

Sam Yale... Interessant. En amusant.

Vijfenzestig, minstens.

Ze belde haar ouders en Bob en Cass om te vertellen dat ze was verhuisd en dat het geweldig was. Ze at yoghurt met aardbeien terwijl ze uitkeek over de fonkelende hoge flats dichter naar de rivier toe en de miniatuurautootjes onder zich. Ze had het raam aan beide kanten een klein eindje opengeschoven; het verkeersrumoer was hier draaglijk vergeleken met het gedender dat door het raam op de tweede verdieping van haar oude flat was binnengedrongen.

Ze waste af, stopte het eerste bandje van John Gielgud die *Dombey en zoon* voorlas in het cassettedeck en begon – met een gevoel van onbehagen dat ze niet kon verklaren – de dozen in de slaapkamer uit te pakken.

Zelfs Kay Norris met haar diepbruine ogen – de kleur was veel mooier dan het groen dat hij had verwacht –, zelfs Kay Norris met haar roomblanke huid en haar glanzend zwarte haar, zelfs Kay Norris met haar goed gevulde blouse en haar ronde, door jeans omspannen billen, ging na een poosje vervelen als ze bezig was jurken op te hangen en spullen in laden op te bergen. John Gielgud die *Dombey en zoon* voorlas, maakte het er niet beter op.

Hij zette haar op scherm twee, zette het geluid van scherm één aan en meedraaiend in zijn stoel liet hij zijn blik over de monitors dwalen. Af en toe nam hij een slokje van de gin-tonic die hij voor de feestelijke gelegenheid had ingeschonken.

Verdomme, de helft van de bewoners was weg, of alleen vanavond, of het hele mooie nazomerweekend. De helft van de thuisblijvers was in de keuken bezig, of zat televisie te kijken of te lezen.

Hij keek naar de Gruens, die ruzieden over de seintjes die ze elkaar met bridgen gaven. Daisy wilde ermee stoppen, Gleen wilde per se doorgaan. Frank en zijn verloofde zouden die avond komen bridgen.

Hij keek naar Ruby, die polaroidfoto's van Ginger nam.

Mark kwam met een bloemetje aanzetten. Goed bedoeld, maar een dag te laat.

Hij keek naar het vriendje-van-de-week van Yoshiwara, die de lage, donkere tafel voor twee dekte. Kay zette haar schoenen onder in de klerenkast. Twee hurkende figuren, twee verschillende culturen. Aardig fragment.

Hij luisterde naar Stefan en een brandweerman in Cincinnati, die op de advertentie had gereageerd. En naar Liz, die haar moeder de wekelijkse roddels van Price Waterhouse doorbriefde.

Een meevallertje! Dr. Palme kwam de hal binnen, knikte John toe en liep naar de lift. Op vrijdagavond? Tijdens zo'n mooi nazomerweekend? Dan moest er iemand met acute problemen zitten. Nina? Hugh? Michelle? Of was de brave dokter soms aan de scharrel?

Kay was nog steeds met haar schoenen in de weer. Hij schakelde het kantoor van dr. Palme op scherm één, zette het geluid harder en stond op. Hij rekte zich uit – kreunde en steunde eens lekker en kneedde zijn lendenen – bracht het lege glas naar de keuken en ging naar de W.C.

Daar stond hij aan haar te denken, haalde zich haar teint en kleur haar voor de geest...

Rits omhoog. Doortrekken.

Hij ging naar de keuken en schonk nog een gin-tonic in, slapper deze keer. Terwijl hij daarmee bezig was, hoorde hij de leren stoel van dr. Palme kraken en de bandrecorder klikken. Hij roerde met de achterkant van een vork in zijn drankje en keek vanuit de keuken naar het scherm. Kay stond bij het nachtkastje, met een witte telefoon tegen haar oor. Hij mikte de vork bij de afwas in de gootsteen, rende terug, schakelde het geluid van scherm twee en de telefoonlijn in, en ging zitten.

'... TOCH NIET TE VEEL GEVRAAGD, VERDOMME,' baste een mannenstem – hij zette het geluid zachter – 'om een paar minuten onder vier ogen samen te praten! Kan dat er ook niet eens meer af?'

Toen ze neerlegde stond de klok op 21:53. Ze liet zich op haar rug rollen, ademde diep in en langzaam weer uit, en knipperde een paar keer met haar ogen. Ze legde een arm over haar voorhoofd en bekeek zichzelf in miniatuur, zoals ze boven het voeteneind van het bed zweefde, weerkaatst in de glimmende knop van de plafonnière. Je hebt het er niet slecht van afgebracht, meid.

Afgelopen. Uit. Eindelijk. Voorgoed.

Ze bleef nog even liggen, waarna ze de natte tissues van het nachtkastje pakte. Stond op, ging naar de badkamer en snoot haar neus.

Mikte de tissues in de zwarte toiletpot en spoelde door. Ze liep naar de zwarte wastafel om haar ogen en gezicht met koud water te betten. Pakte de zeep en boende haar gezicht.

Terwijl ze zich afdroogde monsterde ze zichzelf in de spiegel.

Het kon slechter.

Nu was het welletjes voor vandaag.

Ze belde Roxie, maar kreeg het antwoordapparaat. 'Laat maar,' zei ze. 'Ik vertel het je morgen wel. Ik ga naar bed.'

Ze verving Dickens en Gielgud door de gitaar van Segovia. Daarna maakte ze het bed op met een stel knisperend nieuwe, fris geurende bloemetjeslakens.

Ze ging naar de keuken en proefde van het ijs met chocola. Lekker. Ze pakte een fles schoonmaakmiddel en een spons uit het gootsteenkastje en ging terug naar de badkamer.

Zich rekkend en strekkend boende ze het grote zwarte bad en sponsde de kuip van rand tot rand met schuimige zeep schoon. Ze pakte de glimmende douchekop in art-decostijl, regelde de waterstraal en spoelde het schuim van de gebogen zwarte wanden naar de afvoer met het chroomrandje.

Ze testte de temperatuur van het water met haar pols en liet het bad vollopen. Nadat ze een jadegroene dot badcrème uit een tube had geknepen keek ze toe hoe het schuim opbolde en zich verspreidde. Ze dimde de plafonnière – prachtig, die lampen – tot er een zacht schijnsel op het zwarte glas en porselein viel.

Met het licht uit en de gordijnen open ontdeed ze zich in de slaapkamer van haar kleren. Die wand van licht in de verte was Central Park West. Lichtjes pinkelden in het duister van het park, behalve op de plek waar het Reservoir lag.

Ze zette het linker raam open; met beide handen om de bronskleurige rand geklemd moest ze kracht zetten om het glazen paneel een halve meter over de stroeve, kniehoge rail te schuiven. Een warme luchtstroom streelde haar blote huid. Het weerbericht klopte voor de verandering.

Een eindje verderop en ver onder haar – veertien verdiepingen, had ze uitgerekend – baadde het spitse dak van het Jewish Museum in het lichtschijnsel van het flatgebouw ernaast.

Glimlachend keek ze neer op het poppenhuisachtige herenhuis.

Ze had geen last van hoogtevrees. Haar kantoor bij Diadem bevond zich op de achtenveertigste verdieping; een wand ervan bestond van boven tot onder uit glas.

Voor de zoveelste keer verwenste hij zichzelf. Hij had de badka-mers wit moeten laten betegelen. Of grijs, dat was ideaal geweest. Hij had het overwogen toen hij het gebouw kocht, maar het zwarte sanitair was al besteld en de kolonel had hem bezworen dat de Ta-kai Z/3, die net op de markt was gebracht, zelfs bij het licht van een lucifervlammetje kranteletters kon oppikken. Bovendien zou het aan Edgar en de rest – die immers toch al dachten dat hij gestoord was – moeilijk te verkopen zijn geweest dat hij een aanbetaling van twintigduizend dollar liet schieten om de kleur van de badkamers te veranderen. Dus had hij het op zwart gehouden, wat Barry Beck zo chic had gevonden.

Door al dat zwart, het gedempte licht en dat verrekte schuim had hij net zo goed naar *Dynasty* kunnen kijken.

Maar toch…

Hij had de lichtsterkte zo hoog opgevoerd, dat elk contrast ont-brak; over alles lag een grijszweem, erger nog dan op een ampex-band. Maar ze lag er mooi bij, met haar hoofd op het randje van het bad tegen de muur en met haar diepbruine ogen gesloten, ter-wijl haar voeten aan de andere kant af en toe boven het schuim uit piepten. Soms alleen haar tenen. Aan het langzame golven van het schuim kon je zien dat ze zichzelf streelde, niet heftig, maar om zich te ontspannen na de lange verhuisdag en Jeffs onheuse bejege-ning.

Ze had twee keer naar hem gekeken, dat wil zeggen naar haar spie-gelbeeld in de lamp. De eerste keer had ze geglimlacht en gezwaaid. Hij was bijna van zijn stoel gevallen. Hij had teruggezwaaid en ge-zegd: 'Hoi, Kay.' Gin-tonic nummer drie. De tweede keer had ze haar hoofd langzaam van links naar rechts bewogen terwijl ze hem aanstaarde.

Hij bekeek haar op de twee grote schermen, terwijl hij dr. Palme en Hugh op de band zette; naar beiden tegelijk kijken was te pijnlijk en leidde te veel af. Rocky was naar Chicago voor de trouwerij van zijn neef en zou een nacht wegblijven, zodat hij zich volledig op haar kon concentreren.

Nee, niet volledig. Hij moest straks nog even bij Rocky rondneu-zen. Nu moest hij ophouden met drinken. Echt. Dit was de kans van zijn leven; misschien kon hij een agenda met afspraken vinden en uitmaken of hij al dan niet aan achtervolgingswaan leed.

Haar hand dook op uit het schuim, masseerde haar keel en gleed strelend langs haar hals. Het klotsende water klonk krilstalhelder.

Daardoorheen bromde de ventilator en tokkelde de gitaar. Segovia?

Ze fronste. Het lag voor de hand dat ze nog aan Jeff dacht, die rotzak. Hoe had ze het *twee jaar* met hem uitgehouden? Hij kon er niet bij, ondanks Babette en Lauren en de andere vrouwen van wie hij had gezien dat ze met precies zo'n zelfde zak genoegen namen. Jezusmina, Kay...

Hij leunde achterover, draaide zijn stoel en viste met zijn voet het leren varken onder het bedieningspaneel uit. Nadat hij het naar zich toe had getrokken, legde hij zijn benen erop en bewoog zijn blote tenen heen en weer. Terwijl hij haar gadesloeg, nam hij een slokje. Het glas rustte op zijn schoot, met de natte onderkant in zijn haar.

Hij had zich tegelijk met haar uitgekleed.

Hij sabbelde op een schijfje ijs en keek naar haar. In tweevoud, op twee schermen naast elkaar.

Prachtig...

... de rap aangetokkelde gitaar, de dennegeur, het zacht knisterende schuim... het warme, zijdezachte water waar dat haar zo soepel omsloot...

En toch zat haar iets dwars...

Ze had het gevoel dat haar iets was ontgaan. Het gevoel dat er die dag, voordat Jeff had gebeld, signalen op haar af waren gekomen, signalen die ze niet had opgevangen omdat ze te veel aan haar hoofd had...

Van Sam Yale? Toen hij midden op straat was blijven stilstaan en haar met die vermoeide ogen had aangekeken? Had hij gelogen over zijn strikt beroepsmatige verhouding tot Thea Marshall? Dat zou iets voor een griezelverhaal of een thriller zijn...

Wat ze ontegenzeglijk vreemd vond, was dat hij hier woonde, op Madison Avenue 1300. Oude regisseurs in sweatshirt en spijkerbroek woonden op een kamertje aan de West Side, of ergens in de Village, of in SoHo, tussen de toneelspelers, kunstenaars en schrijvers. Wat deed hij in een nieuwe hoogbouwflat aan de East Side, het domein van de yuppies? Wanneer had hij voor het laatst iets geregisseerd? Waarom was hij ermee opgehouden?

Hoe kwam het dat Pete Henderson op vrijdagochtend boodschappen kon doen? Werkte hij 's nachts, werkte hij thuis, had hij vakantie, had hij een lot uit de loterij gewonnen? Hoe dan ook, wat een spetter. Die overrompelende glimlach, die twinkelende blauwe ogen, dat kastanjebruine haar... Aan de signalen die híj uitzond, mankeerde niets; hij was jong en viel voor haar, net als aankomende redacteurtjes. Als hij vijftien jaar ouder was... Of tien...

De jogger in zijn trainingspak-met-capuchon, die pas op de plaats had gemaakt en haar had gemonsterd – was er soms iets met hem? Ze had niet meer dan een glimp van hem opgevangen, maar had hem aantrekkelijk gevonden, met zijn magere gezicht en peper-en-zout snor. Een stoere figuur, zo uit een Marlboro-reclame gestapt. Getrouwd of homo, vast.

Walt dan, toen ze hem een fooi had gegeven? Die ondoorgrondelijke ogen...

Die blonde verhuister? Háár signalen waren niet mis te verstaan geweest...

Ze ging verliggen onder het schuim.

Misschien had ze last van het alleen-zijn... Geen Felice, helemaal niemand, de eerste avond in een nieuwe flat. Onbekenden boven haar en onbekenden onder haar, en onbekende naaste buren. (*V. Travisano* stond er naast de bel. Victor? Victoria?)

Ze kwam overeind en leunde achterover, met haar armen op de rand van het bad. Ze keek naar het schijnsel van de plafonnière, naar de lichte, halfronde plek in de donkere iris en het kleine figuurtje dat erin zat.

Ze blies schuimvlokken van haar borsten; links, rechts, zodat haar tepels koud en hard werden.

Ze tilde een been uit het water en keek naar het schuim dat van haar hiel gleed... Welfde haar voet... keek...

Tikte met haar teen tegen de glimmende art-decokraan... Liet zich diep in het water zakken, zodat eilandjes van schuim ontstonden... Misschien had ze er behoefte aan... misschien?... om de spanning weg te nemen...

Hij kiende het zo uit dat ze tegelijk klaarkwamen.

Het was fantastisch.

Al was het behelpen...

Onderuitgezakt in zijn stoel, met één voet op het leren varken en één op de grond, hijgde hij na, met een hand vol natte tissues.

Een poosje bleef hij roerloos zitten, oppervlakkig ademhalend, toekijkend hoe zij hetzelfde deed in het met eilandjes schuim bedekte water. In tweevoud keerde ze zich om naar de muur, zodat twee Thea-Marshall-profielen, met gesloten ogen, zich aftekenden. Dubbel mooi...

Hij moest ervoor zorgen dat hun wegen elkaar nooit meer kruisten.
Dat wist hij. Hij was het niet van plan...
Als het toch gebeurde, oké, maar hij moest het zien te vermijden.
Dat wist hij heel goed.
Denk aan Naomi.
Dat deed hij. En nog steeds bezorgde hem dat een gevoel van onbehagen.
Hij stond op, terwijl hij de tissues onder zich hield. Ook Kay was weer in haar gewone doen. Ze zat in tweevoud haar oksels te wassen.
Hij ging naar de badkamer, gooide de tissues in de zwarte toiletpot en trok door. Zuchtend schudde hij zijn hoofd.
Het zou niet meevallen om alleen maar naar haar te kijken...
Zeker niet nu hij haar in het echt en in kleur had gezien...

3

In de Grill Room van The Four Seasons – met zijn donkerhouten betimmering en gordijnen van schakelkettinkjes die als een waterval langs de drie verdiepingen hoge ramen vallen – lunchen die redacteuren en uitgevers die niet naar het centrum van New York zijn getrokken, met elkaar en met hun eigen of andermans geachte auteurs. Op dat weidse toneel (waar rechtsboven een wolk van koperen staven hangt) strijken tussen de middag in donker kostuum gestoken mannen en bont uitgedoste vrouwen neer, in stellen van twee of vier, aan de goede en de minder goede tafeltjes, op de goede en de minder goede etages, net als de vogels in Hitchcocks *The Birds*. Ze houden scherp in de gaten wie bij wie zit, wie er zus en wie er zo uitziet, wie waar werkt en wie wat aankoopt. Obers die buigen als knipmessen dragen kunstig gerangschikt voedsel aan, in voor vogels veel te grote porties.

Terwijl Kay plaats nam op een muurbankje op een goede verdieping aan een minder goed tafeltje, zag ze opeens een magere wang en een peper-en-zout snor. De man die ze en profil zag, leek op de jogger van 9A, maar bijna een week geleden had ze niet meer dan een glimp van hem opgevangen en ze zat een meter of tien bij hem vandaan. Hij was in gezelschap van een man met wit haar, een redacteur wiens naam en uitgeverij haar ontschoten waren.

Haar bebaarde gast, Jack Mulligan, had – onder pseudoniem – zestien romantische thrillers geschreven. Kay had de laatste vier geredigeerd, stuk voor stuk best-sellers. Zijn stijl was barok: een oerwoud van onontwarbaar, bloemrijk proza. Zij snoeide de al te vergezochte beeldspraak terug, kapte wijdlopige bijzinnen en veranderde 'weelderig van groen lover' in 'dicht gebladerte'. Hij was met haar meeverhuisd van Random naar Putnam, en van Putnam naar Diadem. In de uitgeverswereld wordt met mensen geschoven als met pionnen van een schaakspel.

Nog niet zo lang geleden was Mulligan in het middelpunt van de belangstelling komen te staan; er bleven dan ook af en toe mensen bij hun tafeltje staan om hem te complimenteren en de hand te drukken. 'Uitstekend werk, Jack!' zeiden ze, en: 'Het werd hoog tijd dat iemand er iets aan deed!'

'Ach, zoveel stelde het niet voor,' zei hij, stralend. Een maand terug had hij de verantwoordelijkheid opgeëist, en vervolgens weer ontkend, voor een computervirus waarvan de herkomst niet te achterhalen bleek. Het virus had een vooraanstaand tijdschrift lamgelegd door alle namen en woorden waar de letters F en Y in voorkwamen uit het gegevensbestand te wissen. De recensie die het tijdschrift had gepubliceerd van zijn *Vanessa's Lover*, hoewel jubelend en met citaten doorspekt, had een van de verrassende wendingen van de plot verklapt. Hij had de hoofdredacteur vier velletjes vol gramschap gefaxt en de gebruikelijke korte klaagbrief van een lezer was geplaatst.

Terwijl het tijdschrift de schade probeerde te beperken, hadden Mulligans vrienden zijn 'zweer dat je zwijgt als het graf'-telefoontjes geloofd. Hij had drie zoons die iets met computers deden, hackers van het eerste uur, die zich bezighielden met kunstmatige intelligentie en het opzetten van beveiligingssystemen. Daar kwam nog bij dat de schrijver van het nonchalante artikel, ongeveer in dezelfde periode dat het tijdschrift zijn woorden met een F en Y erin kwijtraakte, uit het geheugen verdween van meer dan de helft van de commerciële computers die hem tot dan toe hadden gekend en vertrouwd. Tegen vertegenwoordigers van de officier van justitie en de FBI had Mulligan – gesteund door Paul, Weiss, Rifkind en anderen – echter gezegd: dat hij maar een grapje had gemaakt; hij had alleen maar gezegd dat hij wóu dat hij het had gedaan, maar hij verafschuwde vandalisme, en nog meer woorden van dergelijke strekking. Zijn twinkelende ogen waren hierna te zien geweest in diverse actualiteitenrubrieken en een paneldiscussie over computerbeveiliging in *Nightline*.

Terwijl het tijdschrift en de recensent moeizaam overeindkrabbelden, was het resultaat van de affaire voorspelbaar: *Vanessa's Lover* ging als warme broodjes over de toonbank en Mulligans agent vroeg een exhorbitant hoog voorschot voor een twee bladzijden korte samenvatting van *Marguerite's Stepfather*. De flauwe hoop dat deze eis kon worden gematigd was de reden dat Kay – volledig gesteund door haar baas – met Mulligan in de Seasons zat te lunchen.

'Ken jij die man met dat witte haar, die daar op de entresol zit?' vroeg ze toen ze eindelijk weer alleen waren. 'Hij zat vroeger bij Essandess. Ik weet niet meer hoe hij heet en waar hij nu werkt.'
Jack krabde eens achter zijn oor, draaide zich om, tuurde naar de wanden en het plafond, en keek vervolgens haar weer aan. 'Aan dat zelfde tafeltje heeft Bill Eisenbud een hartaanval gehad,' zei hij. 'Het was een ontzettend aardige man, hè? Een groot gemis. Wij hadden in de Vineyard een huisje naast hem, in de zomer van 'drieënzeventig. Nee, 'vierenzeventig. Een fantastisch huis, met een ruime, beschutte veranda. Helemaal overgroeid met blauweregen.'
Ze vroeg: 'Ken je hem?'
'Nee, het was 'drieënzeventig,' zei hij. 'In 'vierenzeventig zaten we in Zuid-Amerika.' Hij schudde zijn hoofd. 'Nee,' zei hij. 'Ik vraag me af of Sheer aan een nieuw boek bezig is. Hij zei van niet. Het is een vreemde vogel wat geld betreft. Na afloop namen we samen een taxi en toen ik uitstapte, gaf ik hem een briefje van vijf, want er stond bijna zeven dollar op de meter. Hij wilde me per se tot op de cent terugbetalen.'
De ober kwam, boog als een knipmes nadat ze een drankje hadden besteld, en verdween weer.
'Sheer?' herhaalde ze. 'Ken je de man die bij hem zit?'
Hij keek haar verwonderd aan. 'Ik dacht dat je naar die paneldiscussie in *Nightline* had gekeken...'
'Dat heb ik ook gedaan,' antwoordde ze.
'Op die antieke draagbare t.v. zeker? Wil je beweren dat je nog steeds geen ander toestel hebt?'
'Zat hij dan ook in het panel?'
'Hij was die doemdenker,' zei Jack. 'Hij heeft een boek geschreven waarin hij voorspelt dat de computer ons allerlei rampspoed zal brengen. Wraakoefeningen bijvoorbeeld vanwege het verklappen van een ontknoping.'
'Hubert Sheer...' zei ze. 'Ach, natuurlijk, nu weet ik het weer. Hij deed nogal agressief tegen je...'
Jack begon zachtjes te lachen. 'Dat mag je wel zeggen,' zei hij. 'Maar in de taxi was hij reuze geschikt. Hij verontschuldigde zich welgemeend voor zijn rotopmerking over mijn vermeende "kinderachtige mentaliteit". Ze hebben hem er vlak voor de uitzending bij gesleept, omdat iemand had afgezegd. Hij verschijnt niet graag op de t.v., maar toen ie eenmaal op dreef was, kon Koppel hem nau-

welijks de mond snoeren. Dat boek is trouwens al jaren oud.'
'Ik geloof dat hij in hetzelfde flatgebouw woont als ik,' zei ze.
'O ja? Dat zou best kunnen. Hij kan zich tegenwoordig wel iets duurs aan Madison veroorloven...'
Ze bestudeerden het menu.
Toen ze opkeek, betrapte ze Hubert Sheer erop dat hij haar zat op te nemen. Hij glimlachte; zijn wangen en voorhoofd vertoonden een blos en zijn al wat dunner wordende haar bleek ook peper-en-zoutkleurig, net als zijn snor.
Ze schonk hem een terughoudende glimlach en idem knikje.
Hij knikte terug en liep nog roder aan.
De ober bracht mineraalwater met citroen voor haar en moutwhisky voor Jack.
Ze bestelden kalfsoesters en gegrilleerde zalm.
Jack hief zijn glas. 'Op *Marguerite's Stepfather*.'
Ze klonk met hem. 'Op de kassa van Diadem.'
'Zullen we het leuk houden?'
Ze bespraken een nieuwe best-seller – die ze goed vonden, maar niet uitzonderlijk goed –, het schandaal in Washington en het Broadway-seizoen dat er niet erg veelbelovend uitzag.
De man met het witte haar kwam glimlachend naar hen toe, gevolgd door Hubert Sheer, die hinkte en op een stok steunde.
'Kay!' zei de man. 'Martin Sugarman. Hoe gaat het met je?'
'Martin!' zei ze. 'Wat leuk!'
Hij bukte zich en kuste haar op haar wang. 'Je ziet er uitstekend uit.'
'Jij ook,' antwoordde ze. 'Jack Mulligan, Martin Sugarman.'
'Het is me een waar genoegen!' zei Sugarman, terwijl hij met beide handen Jacks hand omvatte en die energiek schudde. 'Het werd hoog tijd dat iemand er iets aan deed!'
'Ach, zoveel stelde het niet voor,' zei Jack, stralend.
Hubert Sheer strompelde dichterbij; zijn gezicht vertoonde een blos en hij was gekleed in een colbert van bruine tweed, een bruin overhemd en een roestbruine das. Zijn ogen, grijs onder peper-en-zout wenkbrauwen, blonken van nauwelijks onderdrukte opwinding. Steunend op zijn stok glimlachte hij haar toe.
'Kay, dit is Hubert Sheer. Hij heeft toegezegd dat hij een boek voor ons gaat schrijven. Dit is Kay Norris.'
'Gefeliciteerd,' zei ze glimlachend terwijl ze hem haar hand reikte. Hij nam die onhandig in zijn linkerhand, die warm en vochtig aan-

voelde. 'Dank u,' zei hij. 'We zijn buren.'

'Dat weet ik,' zei ze.

Zijn grijze ogen werden even groot van verbazing. Hij liet haar hand los en begroette Jack. 'Hallo,' zei hij.

'Hallo,' zei Jack. 'Wat heb jij uitgespookt?'

'Ik heb mijn enkel gebroken,' zei Sheer. 'Eergisteren.' Hij keek Kay glimlachend aan. 'Mijn fiets begaf het toen ik kopieën van mijn synopsis wilde gaan maken. Zou dat een teken van God zijn?'

'Misschien bedoelt hij: zij die geloven, haasten niet,' zei ze.

Hij glimlachte. Sugarman lachte hardop.

'Ik dacht dat boeken voor jou hadden afgedaan,' merkte Jack op.

'Dat dacht ik ook,' zei Sheer tegen hem, 'maar Marty belde me de dag na *Nightline* op met een idee dat me heel erg aansprak.' Zijn priemende grijze ogen richtten zich weer op Kay. 'Televisie,' zei hij. 'Een allesomvattend overzicht van de invloed die het medium tot nu toe op de samenleving heeft gehad en de invloed die het de komende jaren nog zal uitoefenen. Alle aspecten komen aan bod, van soap-series en beveiligingssystemen tot het effect van camrecorders op de gang van zaken in de wereld. Ik ben zelfs van plan...'

'Rocky...' zei Sugarman.

Sheer keek van hem naar haar. Zijn blos werd nog dieper; hij glimlachte.

'Ik zal zwijgen als het graf,' zei ze glimlachend.

'Laat alsjeblieft niets los,' zei Sugarman tegen haar en Jack. 'Het project is nog in een zeer pril stadium.'

'Het klinkt interessant,' zei Jack. 'En het ligt helemaal in de lijn van je vorige boek.'

'Ja,' zei Sheer. 'Ik ben er heel enthousiast over. Ik heb een stoomcursus Japans gevolgd. Volgende week ga ik erheen om bedrijven te bezoeken en met fabrikanten en ontwerpers te praten.'

'Het heeft zo moeten zijn,' zei Sugarman. 'Het idee kwam 's morgens bij me op en die avond zat hij in het panel van *Nightline*, de ideale samensteller van zo'n boek. Hé, kijk, daar heb je Joni.' Hij legde even zijn hand op Sheers schouder. 'Ga jij maar vast, Rocky. Ik zie je dadelijk beneden wel weer.'

Sheer keek haar aan. 'Fiets jij wel eens?' vroeg hij.

'Ja,' antwoordde ze, 'maar ik heb er geen...'

'Ik ook niet meer,' zei hij glimlachend. 'Het ding was total loss. In het park kun je fietsen huren, bij het botenhuis. Mag ik je eens opbellen als ik terug ben?'

'Graag zelfs,' zei ze vriendelijk. 'Ik hoop dat je reis vruchten afwerpt.'

'Dank je,' zei hij glimlachend en met een rood gezicht.

Hij zei Jack gedag en hinkte weg.

Sugarman boog zich dichter naar haar toe. 'Ongelooflijk scherpzinnig,' zei hij. 'Hij legt verband tussen allerlei zaken, heel verrassend soms. Heb je *The Worm in the Apple* gelezen?'

'Nee,' antwoordde ze, 'jammer genoeg nog niet.'

'Ik laat vanmiddag een exemplaar bij je bezorgen,' zei hij. 'O ja, als het je soms interesseert: hij vroeg of ik hem aan je wilde voorstellen. Hij is drieënveertig, gescheiden, en een bijzonder aardige kerel. Overigens, ik was toch wel even bij je langsgekomen. Leuk dat ik je weer eens heb gesproken en dat ik met jou kon kennismaken, Jack. Mijn complimenten. In alle opzichten!' Hij draaide zich om en liep naar de betere tafeltjes.

Kay keek hem glimlachend na en zwaaide naar Joni, die terugzwaaide.

'Rocky?' zei Jack vragend, terwijl hij een stukje kalfsvlees afsneed.

'Dat is beter dan Hubert,' zei ze.

Ze keek over haar schouder door het met gouddraad gedecoreerde glas naar Sheers bruine tweedrug, die achter de balustrade van de brede trap verdween. Langzaam, dicht langs de linker leuning, liep hij naar beneden.

Met horten en stoten verdween hij uit het zicht.

Kay ging met de maten van de ramen naar de afdeling woningtextiel van Bloomingdale's en bestelde witte zijde voor de woonkamer en groen met wit gestreepte katoen voor de slaapkamer. Op weg naar de afdeling eigentijds meubilair ontdekte ze een hypermoderne krabpaal, bestaande uit stukken kurk in de vorm van doughnuts, bevestigd aan een staaf van chroom. Zoiets vond je alleen bij Bloomie's...

In de Vertical Club bracht ze haar conditie op peil door zich in het zweet te werken aan de apparaten die haar arm-, been- en buikspieren moesten verstevigen, waarna ze een poosje op een hometrainer peddelde.

Toen ze uit de lift kwam, werd ze begroet door een miauwende Felice en een hal die vol stond met uitpuilende koffers van roze leer, die haar de toegang versperden en de deur van 20A openhielden. In de keuken van die flat stond een jonge vrouw in een witte jas te telefoneren.

'Nee! Ik bedoel het precies zoals ik het zeg!' Toen ze Kay zag, stak ze haar hand op. Aan elke vinger droeg ze een ring. Ze kreunde theatraal, sloeg haar ogen ten hemel, keek weer naar Kay en haalde hulpeloos haar schouders op. Ze was plaatjesachtig mooi, slank, begin twintig, met steil, blond haar dat haar hoofd als een pagekapje omsloot. De witte mantel met ceintuur had op het omslag van *Elle* gestaan. 'Jullie kunnen allebei de pot op!' riep ze woedend uit en smeet de hoorn op het wandtoestel.

'Ik zal die koffers even voor je weghalen,' zei ze terwijl ze naar de deur kwam. Ze deed de deur verder open en duwde er met haar knie een koffer tegenaan om te voorkomen dat hij dichtviel. 'Het spijt me, maar die arme kat van je is door het dolle heen. De luchtjes van India zijn zeker nieuw voor hem.' Ze zette de roze koffers bij elkaar. 'Wanneer ben je hier komen wonen?' vroeg ze.

'Een week geleden,' antwoordde Kay, terwijl ze om de koffers heen naar haar deur liep.

'Laat hem er maar uit,' zei V. Travisano. Ze schonk Kay een stralende glimlach. 'Gun hem zijn vrijheid. Ik ben dol op katten.'

'Het is een zij.' Kay zette haar aktentas en het pak van Boomingdale's neer, schoof een koffer opzij en maakte de deur open.

Felice schoot naar buiten en besloop aan een stuk door snuffelend het glimmende klaverbladmerkje onder aan een koffer.

'O, wat een beeldschoon beest! Ik ben dol op lapjespoezen. Hoe heet ze?'

'Felice.'

'Felice... Wat een mooie naam. Ik heet Vida Travisano.'

'Dat is ook een mooie naam.'

Ze begon te lachen. 'Dank je,' zei ze. 'Die heb ik zelf bedacht.'

'Ik ben Kay Norris.'

'Ook niet gek.'

'Dat hebben mijn ouders bedacht.' Kay pakte de tegenstribbelende Felice op, die nog lang niet was uitgesnuffeld op de Indiase geurtjes.

Vida Travisano zeulde de laatste koffer naar binnen. 'Jij bent een hele verbetering vergeleken met die arme Kestenbaums.' Ze stond glimlachend in de deuropening, in haar witte couturejas, met een glinsterende hand aan de deurpost en haar ene witgelaarsde been over het andere geslagen. 'Ken je het verhaal van de Kestenbaums?' vroeg ze.

'Felice! Hou op! Nee,' zei Kay. 'Nee, nog niet...'

'Het was eigenlijk wel een interessant stel,' vertelde Vida Travisano. 'Hij was een Amerikaan en zij kwam uit Korea. Heel mooi om te zien; ze had zó fotomodel kunnen worden. Ze hebben nooit verteld wat ze deden, maar ze ontvingen veel gasten. Toen kreeg hij multiple sclerose en hij teerde letterlijk weg. En zij liep aldoor maar achter die rolstoel... Je hebt natuurlijk met zulke mensen te doen, maar het is verschrikkelijk deprimerend... Snap je wat ik bedoel? Ze zijn in Californië gaan wonen, in de buurt van een kliniek waar ze met het onderzoek verder gevorderd waren. Het zag er eerst naar uit dat ze het niet konden betalen. Een paar maanden geleden huilde ze daar nog om, want de behandeling kostte een fortuin en hun verzekering wilde niets vergoeden. God zij dank hebben ze het geld ergens vandaan kunnen halen. Als je behoefte hebt aan een praatje, kom dan gerust langs. Ik ben tot 9 november hier, daarna...' De telefoon begon te rinkelen. 'Shit. Dan ga ik naar het zonnige Portugal. Tot ziens.' Ze liep achterwaarts naar binnen en zwaaide naar Felice. 'Dag Felice!' Terwijl de telefoon doorrinkelde, deed ze de deur dicht.

Felice begon fanatiek te snuffelen aan de moeten die de koffers in het tapijt hadden gemaakt.

Dmitri kwam de steunen voor de boekenplanken in de woonkamer bevestigen en boorde gaatjes op de kruisjes die ze laag op de keukenwand had gezet. Ze installeerde de krabpaal en deed Felice voor waar het ding voor diende door de voorpootjes van de poes over de kurken doughnuts te wrijven. Op hoop van zegen.

Ze hing Roxies valk in de gang op; de valk en de Zwick kwamen beter tot hun recht als je ze los van elkaar zag. Ze zette haar boeken op de planken, terwijl Claire Bloom *Naar de vuurtoren* voorlas. Ze ging zich voorstellen bij de Corner Bookstore aan Ninety-third Street. Dat kon nooit kwaad; wie weet kon ze er ooit nog eens etalageruimte versieren.

Ze belde haar ouders en bedankte hun voor de art-decoschaal, die prachtig zou staan op de nieuwe lage tafel, die nog afgeleverd moest worden. Zoals gewoonlijk kreeg ze het met haar vader aan de stok toen hij tegen haar zei dat zij tegen Bob moest zeggen dat hij weer eens moest opbellen.

Ze las in de pocketeditie van *The Worm in the Apple* van Hubert Sheer, de eerste vier hoofdstukken. Daarna belde ze Roxie. 'Tot nu

toe is het fantastisch. Hij schrijft ontzettend goed!'
'En verder?'
'Niets "verder",' antwoordde Kay. Ze lag op bed en speelde met Felice's witte oor. 'We hebben een vage afspraak om samen te gaan fietsen als hij terug is van een reis. Ik weet niet eens hoe lang hij wegblijft. Japan. Hij vertrekt in de loop van deze week.'
'Dat klinkt inderdaad heel vaag.'
'Dat is het ook,' zei ze, kijkend hoe zij zelf en haar kat in miniatuur in de plafonnière werden weerspiegeld. 'Ik zei toch al, er valt verder niets te vertellen. Maar hij is heel aantrekkelijk en het boek is geweldig. Hoe gaat het met jou en Fletcher?'
Voor de spiegel in de slaapkamer hield ze een paar winterjurken voor. Ze was er niet kapot van.
Ze zette boeken op de bovenste plank, waarvoor ze op een trapje moest gaan staan.
Felice stond strak naar de plint van het aanrechtkastje te turen.

Als je naging hoeveel restaurants er in New York waren, was het wonderbaarlijk dat zij en hoe-heet-ie-ook-alweer, die redacteur van Rocky, in dezelfde tent terecht waren gekomen. Ongelooflijk... Tenzij The Four Seasons sinds de tijd dat hij er geregeld kwam een soort stamkroeg voor schrijvers en uitgevers was geworden... Maar het restaurant had nog steeds allure; de Steins gingen er met Lesley's ouders heen ter gelegenheid van hun zilveren bruiloft, en Vida en Lauren stelden al hun vrienden en kennissen voor er te gaan eten. Nee, het was domweg een toevallige samenloop van omstandigheden...
Jammer dat ze op Rocky viel. Ze zouden goed bij elkaar passen, want ze hadden veel gemeen...
Maar dat mocht geen rol spelen.
Zeker niet nu Rocky dinsdag over een week in Osaka een afspraak had, om acht uur 's morgens plaatselijke tijd, in de showroom van Takai. Daar hadden ze vast wel een paar extra modellen van lampen gemaakt, of minstens een paar grote, glanzende foto's voor de catalogus. Dat zou elke fabrikant toch zeker doen, laat staan een slimme, op omzetverhoging beluste Jap?
Hou je kalm. Denk na. Dit is niet het moment om in paniek te raken. Het is zondagavond, nee, maandagochtend. Rocky's vlucht vertrekt vrijdagmorgen om elf uur van JFK.
Denk na.

Misschien was dat akkevietje met die fiets toch niet helemaal een fiasco... Er zat een positief kantje aan. Rocky's voet zat toch maar in het gips en hij strompelde 9A rond met een stok...

Gewoonlijk werkte ze één dag per week thuis. Dinsdag of woensdag, afhankelijk van haar afspraken en de vergaderingen die op de agenda stonden. Thuis, waar Sara haar alleen belde als het heel dringend was, kon ze twee keer zoveel werk verzetten als op kantoor. Ook 's avonds werkte ze meestal, plus nog eens een uur of drie, vier tijdens het weekend; tussen zes en acht uur 's morgens lag ze dan in bed manuscripten te lezen.
Die week was dinsdag 24 oktober de dag dat ze thuis werkte. Een dag die door alle weermannen op alle kanalen werd verklaard tot de zonnigste van die schitterende nazomer. Hun statistieken werden ondersteund door beelden van strakblauwe luchten, oranjerode bomen en naar de zon opgeheven gezichten, opnamen die voor het merendeel in Central Park waren gemaakt.
Om op die stralende ochtend, met links achter haar uitzicht op het oranjerode park en het blauwgroene Reservoir, een boek te redigeren – al was het in dit geval een mooi boek, waar ze met plezier aan werkte – was en bleef echter werken. Vooral voor een meisje dat van buiten kwam...
Ze draaide zich om en schoof haar bril omhoog. Toen ze een vlucht ganzen in de richting van het blauwgroen zag trekken, boog ze zich naar het raam om te kunnen zien hoe de vogels zich voegden bij hun soortgenoten die net waren opgevlogen en met hun vleugeltoppen rimpelingen in het water hadden gemaakt.
Ze zette haar bril weer op haar neus, draaide zich om en las verder. Maakte aantekeningen. Zoog haar longen vol toen het papier ritselde in de wind die door het open raam binnenkwam...
Tot het einde van het hoofdstuk hield ze het vol.
Toen pakte ze haar Adidasschoenen, spijkerbroek, bordeauxrode coltrui en sweater van Ierse wol. Felice, die midden op het bed in een hoepeltje lag, hield haar in de gaten.
Toen ze het zandpad rond het omheinde Reservoir voor meer dan de helft had gevolgd, stevig doorstappend achter haar zonnebril en licht in haar hoofd van de strakblauwe hemel, de oranjerode bomen, de pittige lucht, de bonte verzameling mensen, de brutale eekhoorns (ze had pinda's moeten meenemen) en rondwiekende vogels, tevredener dan ze zich in ruim twee jaar en misschien wel in

zeven of acht jaar had gevoeld, volgde ze een bocht naar links. Daar zag ze Sam Yale over de sintelbaan haar kant op komen, te midden van vele anderen die geen acht sloegen op de eenrichtingspijlen. Zo te zien genoot hij net zo van deze stralende ochtend als zij; hij zwaaide met zijn armen en zijn grijze haren wapperden, terwijl hij opgewekt naar het water rechts van hem keek. Toen hij dichterbij was gekomen, vertraagde ze haar pas en kneep haar ogen halfdicht tegen het licht.

'Sam!' riep ze. Hij bleef staan en keek haar met zijn donker omrande ogen aan; een jogger zwenkte om hem heen.

Ze ging in de berm naast de sintelbaan staan en schoof haar bril op haar voorhoofd. 'Kay,' zei ze. 'Norris.'

Hij glimlachte. 'Hoi!' Hij keek haar vriendelijk aan terwijl hij werd ingehaald door drie snelwandelaars, met blote armen en benen, en pompende ellebogen.

Kay zette haar bril af terwijl hij naar haar toe kwam. Hij was gekleed in een spijkerbroek, zwarte gympjes en een grijs windjack dat tot de kraag van een rood flanellen overhemd was dichtgeritst.

'Wat een dag!' zei hij handenwrijvend.

'Spectaculair, hè,' zei ze.

'Dat mag je wel zeggen.'

'Ik ben nog niet klaar met mijn rondje. Kom, dan volgen we de pijlen, daar krijg je niets van.'

'Pijlen?' vroeg hij terwijl ook hij de sintelbaan op liep.

'Onder aan het hek,' zei ze en zette haar bril weer op. 'Op vaste afstanden.'

'Hé, kalm aan een beetje,' zei hij terwijl hij links achter haar liep. 'Ik ben hier voor mijn lol.'

Ze vertraagde haar pas en toen hij naast haar was, glimlachte ze hem toe. Zijn verweerde gezicht was niet onknap voor zijn zesenzestig jaar. Op het fotootje in het handboek *Television's Golden Age* had hij eruitgezien als een overgevoelig wonderkind, met donker golvend haar; ook toen al had hij donkere kringen om zijn ogen gehad.

Hij glimlachte haar toe. 'Heeft de hele uitgeverij een snipperdag?' vroeg hij met zijn hese stem.

'Ik werk zo nu en dan thuis,' zei ze.

'Prettig geregeld,' zei hij.

'Ik heb geen goede dag gekozen,' zei ze. 'Of liever gezegd: juist wel. Hoe weet je trouwens dat ik in het uitgeversvak zit?'

Hij week even uit voor een wandelwagen met een baby erin die met een fopspeen werd zoetgehouden; erachter liep een tienermeisje met een jas van nappaleer aan en een walkman op.

Sam kwam weer naast Kay lopen. 'De dag dat je in de flat trok, kwam ik langs de verhuiswagen,' zei hij. 'Daar zag ik allerlei dozen met het beeldmerk van Diadem in staan.'

'O,' antwoordde ze.

'Prachtig cilinderbureau heb je. Hoe oud is het?'

'Een jaar of tachtig, vijfentachtig.'

'Wat voor werk doe je?' informeerde hij.

'Ik ben redactrice,' zei ze. 'Kijk, daar heb je zo'n pijl.'

'Jezus,' zei hij. 'Die dateert uit de vorige eeuw. Bijna onzichtbaar. Daar hoeft niemand zich toch iets van aan te trekken.'

'Waarom niet?' vroeg Kay, terwijl een stel joggers langs hen heen roffelde. 'Ze zijn er nu eenmaal. Wie zegt dat je je er niets van hoeft aan te trekken?'

'Dat weet toch iedereen.' Hij ging achter haar lopen om een stel nonnen te laten passeren. Op het ruiterpad rechts van hen galoppeerde een paard onder de oranjerode bladerboog door; het was een kastanjebruine merrie, bereden door een man in een geruit jasje, zwarte laarzen en een rijbroek.

Sam kwam links van haar lopen. 'Wat een dag,' zei hij.

'Een snipperdag voor regisseurs?'

'Voor gepensioneerde regisseurs is elke dag een snipperdag. Moet je eens zien hoe fraai die gebouwen tegen de lucht afsteken!'

Ze keek naar glanzende rijen wolkenkrabbers van wit en staal aan de zuidkant van het park, de schuin aflopende toren van het Citicorp Building, de priem van het Empire State, scherp omlijnd tegen het diepblauw. 'Fantastisch,' zei ze.

'Wel even iets anders dan Kansas.'

Ze wierp hem een zijdelingse blik toe. 'Hoe kom je erbij dat ik uit Kansas kom? Dat kun je toch niet aan me zien?'

Hij keek haar glimlachend aan. 'Nee,' antwoordde hij, 'maar wel horen.'

'Ik heb geen accent meer!' riep ze verontwaardigd uit. 'Daar heb ik hard aan gewerkt.'

'Neem me niet kwalijk,' zei hij. 'Ik ben paranormaal begaafd.'

Ze liepen in een boog om een televisieploeg heen die een minicamera met een pauw als beeldmerk richtte op de vlammende bomenpracht.

'Je vergeet,' zei hij, toen ze weer op de naar links buigende sintelbaan waren, 'dat ik regisseur ben geweest. Ik heb een scherp ge-
hoor.' Hij tikte tegen zijn oor. 'De doorsneetoehoorder merkt
niets van een accent, nee. Behalve als je *hello* zegt, *of how are you*.'
'Niet waar!' zei ze.
'Héél flauw,' zei hij glimlachend. 'Echt. Alleen een bijzonder begaafd vakman hoort het.' Hij ging achter haar lopen om een krui-
wagen vol donkere sintels, met een man in bruin uniform erachter,
te laten passeren.
Toen hij weer naast haar liep, zei Kay: 'Ik heb je opgezocht in een
boek dat we een paar jaar geleden hebben uitgegeven, *Television's
Golden Age*.'
'*De gouden eeuw van de televisie*, tjonge, wat een mooie titel,' zei
hij. 'Wie heeft die bedacht? Jij toch niet, hoop ik?'
'Het is een uitstekende titel, in duidelijk begrijpelijk Engels,' zei
ze. 'Je weet meteen waar het boek over gaat.'
'Ik neem mijn woorden terug,' zei hij.
'Nee, ik heb hem niet bedacht,' zei ze.
Ze liepen naar het poortgebouw aan de zuidkant van het Reservoir,
terwijl ze steeds door joggers werden ingehaald.
'Je was dus onder de indruk?' merkte hij op.
'Diep onder de indruk,' antwoordde ze. 'Maar ook verbaasd.'
'Je vroeg je natuurlijk af hoe het komt dat het allemaal afgelopen
is? Eenvoudig. Ik ben aan de drank geweest.'
'Sorry,' zei ze terwijl ze hem aankeek. 'Ik ben blij voor je dat je er-
af bent. Maar dat bedoelde ik niet... Sorry, ik had er niet over moe-
ten beginnen. Ik weet zeker dat je er niet over wilt praten.'
'Initialen T.M.?' vroeg hij.
Ze knikte zuchtend.
'Tom Modaal. Altijd goed.'
Ze glimlachte.
'Je hebt naast elkaar gelegd wat we hebben gedaan,' zei hij.
'Ja,' antwoordde ze. 'Zij heeft meegespeeld in bijna twintig stuk-
ken die jij hebt geregisseerd.'
'Ze werd vaak gevraagd voor grote dramaprodukties.'
'Jij hebt twee regieprijzen en een Emmy Award gewonnen,' zei ze,
'en het jaar dat zij overleed, kwam er abrupt een einde aan je car-
rière.'
'Wat voor boeken redigeer je?' vroeg hij. 'Innige omhelzingen ~~
kastelen op de achtergrond?'

'Niet meer,' antwoordde ze.

'Het een had niets met het ander te maken,' zei hij. 'Op dat moment hadden we elkaar al een paar jaar niet meer gezien. We waren in alle opzichten onze eigen weg gegaan. Ik maakte aan de westkust de ene film na de andere. Zij maakte hier soap-series.'

Ze staken het plein bij het uit steen opgetrokken poortgebouw over, en passeerden bij de fonteinen mensen die, met de bankjes als steun, rek- en strekoefeningen deden. Een groep tieners in rode trainingspakken was ook druk in de weer, terwijl een man in het rood met handgeklap het ritme aangaf.

'Om je de waarheid te zeggen,' merkte Sam op, 'kon ze helemaal niet zo goed acteren.'

'Dat heb ik gezien,' zei ze.

'En een goed mens was ze ook niet,' zei hij. 'Ze was ijdel en inhalig. Dacht alleen aan zichzelf. Wraakzuchtig. Onattent. Kleinzielig. Ik was stapelgek op haar.'

'Waarom dan toch?' vroeg ze.

'Ik zei toch: stapel-*gek*,' antwoordde hij. 'Zoiets valt niet te verklaren.' Hij keek naar de sintelbaan en zuchtte. 'Wie kan zeggen waarom?' zei hij. 'Het was zo'n ochtend dat er iets in de lucht hing. In een drukke televisiestudio ontmoetten onze blikken elkaar...'

Kleine groepjes tieners in rode trainingspakken snelden langs hen heen terwijl ze de oever van het Reservoir in oostelijke richting volgden.

'Ben je er definitief mee opgehouden?' vroeg ze.

'Ik geef hier en daar nog een paar lessen,' antwoordde hij. 'Toneel, regie...'

'Hoe lang woon je al in de flat?'

'Vanaf de oplevering,' zei hij. 'Drie jaar.'

Ze vervolgden hun weg.

Ze werden gepasseerd door dravende joggers. Een tiener in rood trainingspak gehuld.

'Als je je soms afvraagt hoe het komt dat ik het me kan permitteren om in deze buurt te wonen,' zei Sam, 'de flat wordt voor me betaald.'

'Nee, dat vroeg ik me helemaal niet af. Doe niet zo mal,' zei ze. 'Tegenwoordig kan iedereen overal wonen waar hij wil; dat is geweldig, dat is juist een van de pluspunten van een grote stad.'

'De Carnegie Hill Stichting. Doel: culturele verrijking. Moet ik verder nog iets uitleggen? Ze denken dat doel te bereiken door armlastige artistieke figuren naar deze wijk over te poten. Ik hoef geen huur te betalen en krijg nog een toelage ook. En voor mij is de ligging ideaal.' Hij glimlachte haar toe. 'Vlak om de hoek zit het afkickcentrum. Toen de flat in aanbouw was, heb ik daar een poosje gebivakkeerd.' Hij ging achter haar lopen om een paar joggers, een man en een jongen, te laten passeren; op hun sweatshirts stond in kistletters: *Slechtziend* en *Begeleider*.

Bij de promenade ter hoogte van Ninetieth Street aangekomen liepen ze de brede stenen trap af. Op het ruiterpad hield een televisieploeg een minicamera gericht op voorbijgangers die de oranjerode bomenpracht bewonderden.

'O nee toch,' zei Kay. 'We komen in het journaal van zes uur. Daar kan ik morgen op kantoor plezier van beleven.'

'Schaam je je voor me?'

'Je weet best hoe ik dat bedoel.'

'Geen paniek,' zei hij. 'Voor elk probleem bestaat een oplossing.' Terwijl Sam zijn middelvinger omhoogstak, liepen ze langs de camera, die voorzien was van een beeldmerk in de vorm van een oog. Ze staken East Drive en Fifth Avenue over. Vervolgens liepen ze Ninetieth Street in, langs de met een ijzeren hek omheinde tuin achter het Cooper-Hewitt Museum.

'Daar heeft Andrew Carnegie zijn laatste dagen gesleten,' vertelde Sam.

'Dat wist ik niet,' zei Kay, opkijkend naar de uit baksteen en natuursteen opgetrokken Palladiaanse villa.

'Daarom heet het hier Carnegie Hill,' zei hij. 'Toen hij het terrein aankocht, was het nog landbouwgrond. Zijn staalfabriek is uitgegroeid tot U.S. Steel. Ik heb zoveel films voor de serie *Steel Hour* gemaakt, dat ik me hier thuisvoel. In dit huis heeft Robert Chambers gewoond.'

'Ik heb de naam wel eens gehoord, maar...'

'De schooljongen die dat meisje heeft gewurgd, in het park.'

'O ja.'

'Je hebt hier alle soorten kostgangers.'

Ze sloegen de hoek om naar Madison Avenue.

'In de begintijd was televisie natuurlijk heel anders dan nu,' merkte ze op.

'Reken maar,' antwoordde hij. 'Alles werd live uitgezonden, banden had je niet, dus je kon niets overdoen. Elk programma was een première: acteurs waren hun tekst kwijt en rekwisieten werden vergeten, maar het leefde, het was opwindend en de spelers werkten tot ze erbij neervielen. Het decor werd in verschillende tinten grijs geschilderd, want kleur speelde nog geen rol.'

'Heb je wel eens overwogen om je memoires te schrijven?' opperde Kay. 'Of spreek ze in op een band. Dat is misschien interessant.'

'Mijn *memoires*?' Hij glimlachte.

'Ja,' zei ze. 'Denk er maar eens over na. Ken je Hubert Sheer? Hij woont ook in onze flat, in 9A.'

Hij schudde zijn hoofd.

'Hij is schrijver,' vertelde ze. 'Een goed schrijver. Hij werkt aan een boek over televisie. Waarschijnlijk zal hij er met je over willen praten. Ik zal jullie aan elkaar voorstellen. Maar laat je gedachten vast eens gaan over een eigen boek. Heus, dat zou het goed doen. Als je diep op persoonlijke details wilt ingaan, prima. Maar je kunt het ook luchtig en amusant houden, als je dat liever doet. Volgens mij kun je dat. Het hangt ervan af wat je het gemakkelijkst af gaat.'

Hij glimlachte. 'Ik zal er eens over nadenken,' zei hij. Toen ze langs Jackson Hole kwamen, maakte hij een handgebaar. 'Zin in een kop koffie?'

'Mag ik die van je te goed houden?' vroeg ze. 'Ik moet nog naar de bank, en dan moet ik nodig weer aan het werk.'

Ze staken Ninety-first Street over. Kay zette haar zonnebril af. 'Het was heel gezellig,' zei ze en reikte Sam de hand.

'Dat vond ik ook,' zei hij. Glimlachend schudde hij haar de hand.

'Denk er eens over na,' zei ze. 'Ik zei het niet zomaar.'

'Oké, dat zal ik doen,' antwoordde hij. Daarna draaide hij zich om en vervolgde zijn weg. Om op zijn schreden terug te keren. 'Hoor eens,' zei hij. 'Ik plaagde je maar een beetje met je accent. Ik zag laatst in de postkamer een pakje dat voor jou was bestemd. De afzender was de familie Norris in Wichita.'

Glimlachend zei ze: 'Ik ben blij dat je het vertelt.'

'Ik zou het vervelend vinden als je het idee had dat je je tijd had verspild,' zei hij. 'Absoluut geen accent, geen spoortje.' Hij glimlachte haar toe, draaide zich om en vertrok.

Ook Kay draaide zich om. Ze zette haar zonnebril weer op en wachtte tot het voetgangerslicht groen werd. Ze veerde op de bal van haar voeten op en neer en keek glimlachend omhoog naar de strakblauwe hemel.

Die woensdag presenteerde ze drie boeken op de vergadering met de vertegenwoordigers; twee ervan konden hun goedkeuring wegdragen en ze veroordeelden het derde minder fel dan zij en de andere redacteuren hadden verwacht. Ze bracht een uurtje zoek in Saks en kocht er een jurk van wijnrode zijde en wat ondergoed.

Die avond had ze lange gesprekken met Bob en met Meg Hunter, die op weg was naar Londen en tijdens een tussenlanding op JFK belde; ruim een uur lang haalden ze herinneringen op aan Syracuse. Ze onthaarde haar benen terwijl Claire Bloom het laatste deel van *Naar de vuurtoren* voorlas en Felice zich op de badmat een grondige wasbeurt gaf.

Op donderdag werkte ze het grootste deel van de dag samen met een vrouw uit Newark, die een intelligent en geestig science-fiction debuut had geschreven, dat echter tweehonderd pagina's te lang was. Ze ging naar de borrel die Warner gaf ter gelegenheid van het verschijnen van hun biografie over Katharina de Grote, op de eerste verdieping van de Tea Room. Iedereen uit het vak was er, dronk champagne en at blini's met kaviaar.

Toen ze terugkwam en uit de taxi stapte, keek ze in schelle lampen en werd ze opgewacht door een bezorgd kijkende vrouw met microfoon. 'Woont u hier?'

Een man vroeg: 'Kende u Hubert Sheer?'

De vrouw weer: 'Wist u dat deze flat de Verticale Doodskist wordt genoemd?'

Walt weerde hen af en loodste Kay mee naar de deur.

'Hij schopte me! Heb je op de band staan dat ie me schopte? Hé, jij daar! Portier! Hier zul je meer van horen, klootzak!'

Terwijl hij de glazen deur dichtdeed, keek Walt achterom. 'Het schuim der aarde,' zei hij met zijn sonore bariton. 'Het leek daarnet wel voedertijd in de dierentuin. U boft dat u zo laat bent.'

'Hubert Sheer?' zei ze.

Hij draaide zich naar haar toe en monsterde haar door zijn brilleglazen. Knikte. Wendde zich af en deed een stap naar achteren om de deur open te kunnen doen. Er gingen mensen naar buiten. Hij sloot de deur.

'Wat is er gebeurd?' vroeg ze.

Hij haalde diep adem, zette zijn bril af en keek haar met vochtige, bruine ogen aan; zijn doorgroefde gezicht zag bleek. 'Hij is gevallen, in de douchecabine,' zei hij. 'Zijn voet zat in het gips en hij had er een plastic zak omheen gebonden om hem droog te houden. Hij is uitgegleden en op zijn hoofd terechtgekomen.'

'Is hij *dood*?' zei ze.

Hij knikte en hield de deur open.

De man die binnenkwam zei: 'Jezus Christus...'

Walt sloot de deur en nam haar op. 'Kende u hem, mevrouw Norris?'

Ze knikte.

'Wilt u even gaan zitten?'

Ze wist niet goed of ze ja of nee zou zeggen.

Hij troonde haar mee naar een bank bij de balie met de monitors. Terwijl Kay plaats nam, pakte Walt haar aktentas aan. Hij zette zijn bril weer op en omklemde de aktentas met beide handen. Vervolgens boog hij zich naar haar toe. 'Iemand van het bureau van zijn agent kwam poolshoogte nemen,' vertelde hij. 'Hij nam de telefoon niet op en hij was niet op een bespreking verschenen.'

'Wanneer is het gebeurd?' vroeg ze, naar hem opkijkend.

Hij haalde diep adem en wendde zijn blik af. Hoofdschuddend slaakte hij een diepe zucht. 'Dat weten ze nog niet precies.' Hij keek haar aan en knipperde met zijn ogen achter zijn bril met stalen montuur. 'Hij lag op de tegels en de douche stond nog aan,' zei hij. 'Heel warm. Dus wordt het moeilijk om dat met zekerheid vast te stellen. De laatste keer dat iemand van hem hoorde was maandagavond laat.'

'Goeie hemel,' zei ze.

4

Vanzelfsprekend hing Edgar aan de telefoon. 'Grote god, wat een afschuwelijke rotpech!'

'Ja hè. Ik kan het nog niet geloven.' Hij zette de t.v. aan het voeteneind van het bed zachter. 'Ik heb hem een paar keer gesproken, in de lift. Het leek me een aardige kerel.' Hij legde de afstandsbediening op het nachtkastje en pakte de mok met *I-hartje-New York* erop; met de telefoon tegen zijn schouder gedrukt duwde hij de kussens omhoog.

'En natúúrlijk op een dag dat er verder geen nieuws was.'

'De belangstelling zal wel tanen,' zei hij terwijl hij het zich gemakkelijk maakte. 'Net als toen met Rafael.' Hij nam een slokje van zijn koffie.

'Dat ben ik niet met je eens. Dit is de vijfde, niet de vierde, en een tamelijk bekend schrijver nog wel, geen conciërge. De flat zal zeker minder... populair worden. Ik hou niet van dooddoeners zoals "dat heb ik je toch gezegd", maar weet je nog dat ik je heb gewaarschuwd voor de overstap van verkoop op verhuur? Als het koopflats waren geweest, hoefde je je er weinig van aan te trekken. Tenminste, betrekkelijk weinig.'

'Dat weet ik.' Hij keek intussen naar een reclamespotje-zonder-geluid, waarin een wasmiddel werd aangeprezen. 'Ik heb er nu spijt van dat ik niet naar je heb geluisterd.' Hij nam nog een slok koffie.

'Je hebt de kranten zeker al gelezen?'

'Nog niet,' zei hij. 'Ik lig nog in bed. Het is laat geworden gisteravond.' Hij zette de mok neer en pakte de afstandsbediening.

'Op de voorpagina van de *Post* staat in koeieletters VERTICALE DOODSKIST, naast een foto van de flat, van onderaf genomen. The News heeft gekozen voor TOREN DER VERSCHRIKKING, met dezelfde lay-out. In *The Times*... hier heb ik 't... staat op pagina drie: SCHRIJVER VIJFDE DODE IN FLAT IN UPPER

47

EAST SIDE. Volgens hen werkt Connahay voor Merrill Lynch, maar dat zullen ze morgen wel rectificeren.'

'Het waait wel over,' zei hij, terwijl hij met zijn duim overschakelde van peuters op zeep en vervolgens op gorilla's in het oerwoud. 'Deze keer zal het een paar dagen langer duren, dat is alles.'

'De telefoon staat roodgloeiend. "Wie is de eigenaar van de flat? Wat vindt hij ervan?"'

'Klote. Wat vindt ie eigenlijk?'

'Ik raad met klem aan – en iedereen hier is het met me eens – om er onmiddellijk een public-relations deskundige bij te halen.'

'Wat moet die dan doen?' vroeg hij, de kanalen verder afzoekend. 'Een persconferentie geven? Dat houdt de belangstelling alleen maar warm.'

'Nee, nee, nee. Hij moet de zaak sussen. Een deskundige die de media zo ver krijgt dat ze hun aandacht zo snel mogelijk op iets anders richten.'

Hij ging rechtop zitten. 'Ken jij iemand die dat kan?' vroeg hij.

'Er zijn me twee mensen aanbevolen. Ze zijn peperduur en niet noodzakelijkerwijs aftrekbaar, hoewel we volgens mij met goede argumenten bij de belastingdienst kunnen aankomen.'

'De belastingdienst kan de pot op,' zei hij. 'Doe dat maar meteen. Het is een grandioos idee, Edgar. Jezus, in wat voor wereld leven we eigenlijk.'

'Ik ben blij dat het idee je goedkeuring kan wegdragen.'

'Wat heet,' zei hij. 'Ga maar meteen aan de slag.' Hij legde neer, bleef even stilzitten en glimlachte toen. Zette de t.v. uit, gooide de deken van zich af en stond op.

Hij liep naar het raam en schoof de rechterkant zo ver mogelijk open. Snoof de lucht diep op, zoveel als zijn longen konden bevatten, en rekte zich uit op zijn tenen...

Terwijl hij met zijn vuisten op zijn blote borst roffelde, ademde hij langzaam weer uit.

Vanzelfsprekend hing Alex aan de telefoon. 'Ik heb het journaal gezien. Wat vervelend, zeg. Kende je die man?'

'Nee,' antwoordde ze.

'Het is me het lijstje wel: zelfmoord, overdosis cocaïne...'

'Alex, ik ben aan het werk.'

'O. Sorry. Ik wilde alleen even gedag zeggen en horen hoe het met je gaat.'

'Uitstekend,' zei ze. 'De strengen knoflook hangen bij het raam en de crucifixen liggen onder handbereik.'

'Wat bedoel je?'

'Laat maar,' antwoordde ze.

Roxie belde. 'Jezus, wat jammer nou.' Probeerde haar op te monteren. 'Grote kans dat zijn smaak van geen kant deugde.'

Vida Travisano kwam aan de deur, tot in de perfectie opgemaakt en geparfumeerd. Haar vingers met de roze gelakte nagels hielden het bovenstuk van een geborduurde avondjurk van ivoorkleurig satijn omhoog. De knoopjes op de rug had ze voor een deel dichtgemaakt, maar daar bleken haar nagels niet tegen bestand.

Kay nam haar mee naar de keuken en bukte zich in het witte t.l.-licht om met half dichtgeknepen ogen de zijden lusjes over de satijnen parelknoopjes te schuiven. Vida stond haar vingertoppen te masseren. Nadat ze Vida's kousevoeten had besnuffeld, wijdde Felice zich verder aan haar feestmaal van zeebanket.

'Prachtig borduursel... India?'

'China. Shit. Heb jij alleslijm in huis?'

'Sorry, nee.' Ze maakte het volgende knoopje dicht. 'Waar ga je heen?' vroeg ze.

'Een diner in het Plaza,' antwoordde Vida. 'Een heleboel toespraken... De gouverneur komt ook. Vreselijk, hè, van die Sheer. Ik heb met hem gesproken! Een paar maanden geleden, in de lift! Hij had een grote plant gekocht op de markt in Third Avenue...' Ze slaakte een zucht. 'Je moet er niet aan denken dat hij daar al die tijd heeft liggen pocheren. Dat woord gebruikte die vent – zijn naam is me ontschoten – op de t.v.: *gepocheerd.*' Het hoofd met het blonde pagekapje werd omgedraaid. 'Ik hoop niet dat hij een vriend van je was of zo...'

Kay maakte glimlachend het volgende knoopje dicht. 'Nee, het was geen vriend van me,' zei ze.

'Zielig, hoor...'

Felice stapte naar de gang en ging zich zitten wassen.

'Naomi Singer heb ik wel gekend,' vertelde Vida terwijl ze aan een nagel pulkte.

Kay hield zich bezig met het volgende lusje en kneep haar ogen half dicht.

'We hebben een cursus gevolgd bij de joodse volksuniversiteit,' zei Vida. 'Zelfverdediging. We zijn een paar keer samen naar huis gelopen. Ben je er wel eens geweest? Aan Lexington Avenue?'

'Ik ben er een paar keer geweest voor een concert,' zei Kay.
'Er worden allerlei cursussen gegeven. Het is een joodse instelling, maar iedereen mag inschrijven.'
Kay zei: 'Ze zal wel diep ongelukkig zijn geweest...'
'Zo gedroeg ze zich anders niet,' zei Vida. 'Maar dat zegt niet altijd alles. Naar buiten toe was ze juist heel opgewekt. Ze leek wel een beetje op jou: donker haar, ovaal gezicht. Maar niet zo knap. Kleiner. Ze kwam uit Boston. Waar kom jij vandaan?'
'Wichita.'
'Ik kom overal vandaan,' zei Vida. 'Mijn vader is generaal-majoor bij de luchtmacht.'
Terwijl ze weer een knoopje vastmaakte, zei Kay: '*The Times* vermeldde niet wat er in die brief stond...'
'*The Post* heeft er stukjes uit gebruikt,' zei Vida. 'Ze zat in de put. Om van alles. Het milieu, racisme, atoomwapens, dat soort dingen. En dan was er nog een vent in Boston met wie ze een relatie had gehad. Ook hij kwam erin voor.' Ze zuchtte. 'Ze heeft Dmitri in ieder geval de schrik van zijn leven bezorgd.'
'Hoe dan?'
'Ze is bijna boven op hem terechtgekomen,' vertelde Vida. 'Hij was bezig die... je weet wel, die steunen te poetsen waar de luifel op rust. Hij was toen nog portier en Rafael de conciërge. Ze kwam pal naast hem neer. Hij zat onder het bloed. Hij en zijn vrouw en kind hebben van de eigenaar een week Disneyland cadeau gekregen, helemaal gratis.'
'Niet gek,' zei Kay tijdens het volgende knoopje.
'O, krenterig zijn ze hier niet,' zei Vida. 'Dat is maar goed ook, als er zoveel mensen de pijp uit gaan. Wie verlengt er nu zijn huurcontract?' Ze schudde zuchtend haar hoofd. '"Verticale doodskist..." Eng hoor. Ik heb het gevoel dat ik meespeel in een film met Jamie Lee Curtis.'
Kay deed het bovenste knoopje dicht en glimlachte. 'Oké, Jamie Lee,' zei ze en deed een stapje achteruit. 'Ga de gouverneur maar een handje geven. Je ziet er oogverblindend uit.'

Een in kleurig cadeaupapier gewikkeld pakje op de balie van de postkamer was aan haar geadresseerd; uit het sierlijk beschreven etiket bleek dat het was verzonden door een zaak die Victoriana heette, aan East Eighty-ninth Street. Formaat schoenendoos, tamelijk zwaar, met een duur ogend art-nouveauvignet. Ze vroeg zich af van wie het kwam en wat erin zat terwijl ze in de lift naar boven ging, tegelijk met de man met het geitesikje van de twaalfde verdieping en een Japans echtpaar van middelbare leeftijd dat op de zestiende uitstapte.

De afzenders bleken Norman en June te zijn. Op het crèmekleurige Diadem-kaartje van geschept papier, voorzien van het beeldmerk in reliëf, had Norman met kloeke, ronde letters geschreven: *Een wolkeloze hemel, fonkelende sterren en veel geluk toegewenst. We houden van je. Norman en June.*

Het cadeau zat in bobbeltjesplastic en blauw vloeipapier gerold en bleek een schitterende koperen telescoop te zijn, die uit twee delen bestond van bij elkaar een kleine vijftig centimeter lang. Vlak bij het oculair stond een afbeelding van de beroemde Liberty-klok, de naam Sinclair en het jaartal 1893.

Met het gevoel alsof ze Ahab was keek ze naar een sleepboot die een aak stroomopwaarts duwde, terwijl een wit jacht in tegenovergestelde richting voer. Auto's reden over de Triborobrug. Ramen van torenflats; bij sommige stond een telescoop op een statief. Er streek iets langs haar knie. Felice, die spinnend op de vensterbank zat.

Samen met Roxie en Fletcher ging ze naar de vlooienmarkt in Twenty-sixth Street, waar ze een stel tinnen kandelaars kocht. Ook bezochten ze een heropvoering van *Annie Hall* en *Manhattan*, en een Chinees restaurant.

Ze las een goed manuscript. Liet haar haar knippen, wassen en föhnen. Trakteerde Florence Leary Winthrop in de Seasons op een lunch. Op Sheers plekje zat nu een andere man. Ze woonde een produktievergadering bij.

Op haar thuiswerkdag, woensdag, was het rotweer. Motregen miezerde neer op het kleurloze park en het loodgrijze Reservoir, op het leigrijze dak van het Jewish Museum en op kleurloze tuinen die ingesloten lagen tussen de zwarte daken van uit baksteen opgetrokken herenhuizen. Maar het was een prima dag om thuis te zijn, al vorderde ze maar langzaam doordat Florences getypte pagina's vol stonden met pijltjes en in priegelig handschrift aangebrachte wijzigingen.

Dè dag om de was te doen. Ze kwam op dat idee toen ze las dat Susannah bezig was de bloedvlekken uit Dereks rijjasje te boenen. Vandaag hoefde ze vast niet op een machine te wachten. De klok stond op 15:25. Ze liet Susannah boenend en tobbend achter en pakte de volle wasmand uit de linnenkast. Felice kwam de gang in om te kijken wat er aan de hand was. Ze pakte de handdoeken uit de badkamer en de keuken, een pak wasmiddel uit het aanrechtkastje en muntjes uit een daarvoor bestemd potje met Mickey Mouse erop.

Toen ze de uitpuilende mand met de doos waspoeder erbovenop de witbetegelde wasruimte binnendroeg, stond Pete hoe-heet-ie-ookalweer, met dat kastanjebruine haar, bij een van de droogtrommels. Hij draaide zich naar haar om en nam haar op, terwijl er iets geels uit zijn hand zijn wasmand in gleed.

'Hallo,' zei ze en liep naar de andere kant van het vertrek. Daar zette ze de mand met een klap op de laatste wasmachine van de rij. Verderop in de rij stond een wasmachine te brommen; erbovenop stond een lege mand.

'Hallo!' zei hij, met een stem die kil weerkaatst werd door de witte tegels. 'Hoe is het met je?'

'Goed.' Ze had er spijt van dat ze zich niet een beetje had opgeknapt, zelfs al was hij hooguit zevenentwintig. 'En met jou?'

'Goed,' zei Pete – o ja, Henderson, zo heette hij. 'Ben je al een beetje ingeburgerd?'

'Zo ongeveer.' Ze glimlachte in reactie op zijn overrompelende glimlach. Hij was gekleed in een groen T-shirt en een spijkerbroek. Ze wendde zich af en zette twee wasmachines open. Terwijl ze de filters eruit pakte, zei ze: 'Wat een luxe, hè? Alles hier is prima in orde.'

'Ze waren eerst van plan er koopflats van te maken,' zei hij terwijl hij zich naar zijn droogtrommel omdraaide.

'Bof ik even dat ze dat niet hebben gedaan,' zei ze.

'Dat geldt voor mij ook.'

Ze zette de doos neer en begon de mand uit te laden. De gekleurde was ging in de ene, de witte was in de andere machine. 'Ik zou wel eens willen weten waarom ze zich hebben bedacht,' merkte ze op.

'De vraag naar huurflats zal wel toegenomen zijn.'

'Maar toch,' zei ze, 'als de investering eenmaal is gedaan... Wie is de eigenaar? Weet jij dat?'

'Geen idee. De enige naam die ik ken, is MacEvoy-Cortez, daar gaan mijn cheques heen.' Hij slaakte een zucht die weergalmde tegen de tegels. 'Je bent anders wel met je neus in de boter gevallen...'

'Dat mag je wel zeggen,' antwoordde ze.

'Ongelooflijk, hè, hoe agressief die journalisten zich gedragen. Ze zijn vast wel als fatsoenlijke mensen begonnen, maar allemachtig, ze veranderen in... haaien. Net als bij James Bond. Vraatzuchtig.'
'Hij was van plan een boek over het verschijnsel televisie te schrijven,' zei ze, terwijl ze een spijkerbroek bij de gekleurde was stopte. 'Over de vele manieren waarop die ons leven beïnvloedt. Ik vraag me af of hij het ook zou hebben gehad over verslaggevers die in vraatzuchtige haaien veranderen.'
'Kende je hem?' vroeg hij en draaide zich naar haar toe.
Ze trok aan een zakdoek die aan het knoopje van een overhemd-blouse bleef haken. 'Oppervlakkig,' antwoordde ze. 'We hadden net kennisgemaakt.'
'Het lijkt me een goed onderwerp voor een boek,' zei hij. 'Als kind keek ik de hele dag; nu haal ik af en toe nog een videofilm. Was hij van plan om ook te schrijven over de invloed van de video?'
'Ik denk van wel,' zei ze. 'Hij is niet in details getreden. We hebben elkaar maar heel even gesproken.'
'Toch moet het een extra grote schok zijn geweest,' zei hij, 'omdat je hem had ontmoet.'
'Ja zeker,' zei ze. 'Dat is ook zo. Beslist.' Ze stopte de blouse in de ene, de zakdoek in de andere machine.
'Ik heb wel eens een praatje met hem gemaakt over het weer. In de lift, je weet hoe dat gaat. En ik heb zijn boek over computers gelezen.'
'Ik ook.' Kay draaide zich om. 'Hoe vond je het?'
Hij zweeg even en fronste zijn wenkbrauwen. 'Gaat wel,' zei hij. 'Ik vond het goed geschreven, maar het irriteerde me.' Hij keek haar aan. 'Ik werk zelf in de computerbranche,' vertelde hij. 'En er is geen reden om overdreven bang voor die dingen te zijn; het zijn machines, meer niet. Machines die in hoog tempo gegevens kunnen verwerken.'
'Zijn angst was niet overdreven,' zei ze. 'Er schuilt een reëel gevaar in het verschijnsel.'
'Dat gevaar heeft hij zeker met een factor tien aangedikt,' zei hij. Ze draaide zich om en propte stukje bij beetje de geelgebloemde lakens uit de mand bij de witte was. 'Wat voor werk doe je precies?' vroeg ze.
'Ik ben free-lance programmeur,' zei hij. 'Ik adviseer diverse bedrijven, voornamelijk op financieel gebied, en ik heb een paar spelletjes gemaakt die zijn uitgebracht.' De deur van de droogtrommel

ging dicht. 'En jij?'

'Ik ben redactrice,' zei ze. 'Bij Diadem Press.'

'Heb je trek in iets hartigs? Of in een reep?' Hij liep naar de versna-peringenautomaat aan de andere kant van het vertrek en keek haar over zijn schouder heen aan.

'Nee, dank je,' Ze glimlachte hem toe, draaide zich weer om en sor-teerde de laatste handdoeken en washandjes.

Muntjes verdwenen in een gleufje. 'Ze hebben hier zelfs katte-kruid, wist je dat?'

'Eerlijk?' zei ze. 'Dat wist ik niet.' Ze maakte het pak wasmiddel open.

'En ook hondebrood. Maar waarom is er geen vogelzaad?' Een machine bromde; wasgoed tuimelde om en om.

Terwijl ze waspoeder bij de gekleurde was strooide, hield ze opeens op, kantelde de doos rechtop en draaide zich om. Ze keek naar hem terwijl hij een zakje probeerde open te krijgen. Hij glimlachte haar toe. 'Ik zag je bij Murphy's kattebakkorrels kopen,' zei hij. 'Zater-dagochtend.'

'O,' zei ze.

'Ik was niet alleen,' zei hij, 'daarom heb ik je niet aangesproken.' Glimlachend draaide ze zich om en strooide nog wat waspoeder bij het wasgoed.

Hij leunde twee machines verder tegen het brommende apparaat met het rode lichtje. 'Kater of poes?' vroeg hij.

'Een poes,' antwoordde ze. 'Een lapjespoes.'

Hij scheurde zijn zakje chips open.

'Waar kom je vandaan?' vroeg ze, terwijl ze waspoeder over de witte was uitstrooide.

'Pittsburgh,' zei hij. 'Ik zit hier nu vijf jaar. In New York, bedoel ik. Drie jaar in deze flat.' Hij hield haar het open zakje chips voor. Zijn levendige blauwe ogen namen haar op.

'Nee, dank je,' zei ze glimlachend, waarna ze de doos afsloot en in de wasmand zette. 'Ik kom uit Wichita,' vertelde ze. 'Ik woon hier... lieve hemel, al achttien jaar.'

'Ik wist dat je ergens uit het middenwesten kwam,' zei hij. 'Ik kan het horen aan je manier van praten. Aardig.'

Ze keek toe terwijl hij een chip uit het zakje viste. 'Dank je,' zei ze. Vervolgens zette ze de filters in de machines en deed ze dicht.

'Zet gauw je gasmasker op,' zei hij zachtjes, terwijl hij langs haar heen keek. Toen ze zich omdraaide rook ze Giorgio.

De gedrongen vrouw met de zwarte pony van de achtste verdieping bleef in de deuropening staan, onder de videocamera. Ze had een zonnebril op, droeg een ketting van barnsteen en was gekleed in een zwarte jurk met lange mouwen. Achter haar duwde een man een fiets een van de liften in.

Ze knikten haar toe en zeiden: 'Hallo.'

Ze knikte terug en liep naar de automaat met versnaperingen, waarbij haar hoge hakken op het vinyl klikklakten. Giorgio moest het opnemen tegen de lucht van waspoeder en ammonia.

Pete rimpelde zijn neus en glimlachte naar haar. Kay glimlachte terug en stopte muntjes in de daarvoor bestemde laatjes. Hij liep naar de droogtrommels. Het lichtje van de machine waar hij tegen had geleund ging uit. Aan de andere kant van het vertrek vielen muntjes in sleuven; machines begonnen te brommen, wasgoed tuimelde om en om.

Ze schoof de laatjes dicht en bestudeerde de glimmende programmaknopjes.

Er kwam een vrouw binnen die snuffend en fronsend naar de machine liep waar Pete tegenaan had geleund; ze was mollig, had zwart haar, en was gekleed in een rode blouse, paarse rok en bruine sloffen. Ze pakte de mand van de machine en deed de deur open.

'Dat had u goed getimed. Hij is nèt klaar.'

De vrouw wendde zich naar haar toe. 'Pardon?'

'Net klaar,' zei Kay. 'Nu.' Ze maakte een handgebaar. 'Uit.' Ze wees naar de wasmachine.

'*Ah, sí,*' zei de vrouw glimlachend. Ze trok het platgedrukte wasgoed de mand in. '*Sí, veintecinco minutos,*' zei ze. '*Exactamente. Veintecinco minutos.*'

'Vijfentwintig,' zei Kay.

'*Sí.*'

'Bedankt.'

Kay drukte een paar knoppen in en de wasmachines kwamen bruisend tot leven. Ze pakte de doos waspoeder uit de mand. 'Nog even wachten,' zei Pete, die met zijn mand schone kleren naast haar stond. Hij wierp een blik op de lifthal.

Kay deed alsof ze iets zocht tot Giorgio, die het glansrijk had gewonnen van waspoeder en ammonia, een lift was binnengegaan en de deur was dichtgegleden.

'Er loopt vast een pijpleiding van de fabriek naar haar flat,' zei Pete terwijl ze de lichtbruin geverfde hal in liepen.

'Het is Giorgio,' zei Kay. 'Maar zelfs van iets goeds kun je te veel hebben.' Ze drukte op het knopje tussen de twee liftdeuren. De lampjes erboven veranderden van 2 in BG en van 4 in 5.

De deur naar het trappenhuis rechts van de liften gingen open en Terry, gehuld in een natte zwarte plastic regenjas, kwam de hal binnen. Hij glimlachte hen toe en ging naar de wasruimte. Uit de fietsenstalling kwam een man in een natte gele poncho, met een helm in de hand. Hij deed de deur van plaatglas dicht en knikte hen toe. Ze knikten terug.

Hij streek met zijn hand over zijn vochtige, blonde krullen en schudde de druppels eraf.

'Regent het nog steeds zo hard?' vroeg Pete.

'Nog harder dan eerst,' antwoordde de man. Hij was stevig gebouwd, een jaar of vijfendertig.

De linker liftdeur schoof open.

'Druk jij even?' vroeg Pete, die achter haar aan kwam met zijn mand wasgoed. 'Dertien.'

Kay drukte 20 en 13 in. De man in de poncho moest op 16 zijn.

Op de begane grond gleed de deur open en een wat oudere vrouw met een rond gezicht, gekleed in een marineblauwe regenjas met hoedje, stapte in. Ze knikte, draaide zich om en drukte op 10. Zwijgend gingen ze naar boven. De vrouw stapte uit.

'Leuk dat we elkaar weer eens hebben gesproken,' zei Pete glimlachend toen de deur op de dertiende verdieping openging.

'Dat vind ik ook,' zei Kay met een glimlach.

De man in de poncho stapte op zestien uit.

Ze stond met haar pak waspoeder in de hand en keek naar de videocamera in het hoekje. Toen het lampje boven de deur van 19 in 20 veranderde, pakte ze haar sleutels.

Die vrijdagavond had ze een paar vrienden uitgenodigd: collega's van Diadem, en Roxie en Fletcher. Ze waren vol lof over de flat, Felice en Roxies valk. Om beurten tuurden ze door de telescoop, ze dronken wodka, mineraalwater en witte wijn, bespraken geruchten over fusies en discussieerden over de crisis in het Midden-Oosten en de voorjaarsaanbieding.

'Wat een prachtige lamp,' zei June terwijl ze zaten te eten. 'Is die van jou?' Het hele gezelschap – een man of tien, twaalf – en Kay keken omhoog naar de plafonnière. Ze waren met hun borden kipsalade en glazen wijn in de woonkamer gaan zitten.

'Nee, die hoort bij de flat,' zei ze, zittend op een kussen bij de lage tafel. 'Alles is hier van topkwaliteit. Oorspronkelijk zouden het koopflats worden, maar de geheimzinnige eigenaar is op verhuur overgestapt. Niemand weet wie het is. Hij verschuilt zich achter een advocatenkantoor. Er wordt beweerd dat hij een nagel aan hun doodskist is, maar ik wil geen kwaad woord over hem horen.'

'Die kip is verrukkelijk,' zei Norman.

'Bij Petak's gekocht,' zei ze.

'Iemand moet toch weten wie hij is,' merkte Gary op.

Kay nam een slokje wijn. 'De beheerder van het gebouw weet het niet,' zei ze. 'Die heeft alleen contact met het advocatenkantoor.'

'Ach, zo verwonderlijk is dat nu ook weer niet,' zei Tamiko. 'Wees eerlijk, het gebouw heeft niet bepaald een gunstige pers gehad.'

'Zijn geheimzinnigheid dateert anders al vanaf het moment dat hij het kocht,' zei Kay.

'Van Barry Beck,' zei June. 'Ik had nooit gedacht dat ik hier nog eens zou zitten. Jij, Norman? We hebben ons met hand en tand tegen de bouw verzet.'

'Wij zijn actief lid van Civitas,' vertelde Norman. 'Dat is een organisatie die probeert deze wijk in de oude staat te houden en te voorkomen dat er te veel nieuwbouw wordt gepleegd. Op dit perceel stonden twee prachtige herenhuizen. We hebben deze slag verloren, maar we hebben de oorlog gewonnen, tenminste, tegen dit soort hoge schijven. Een maand nadat de fundering voor dit pand was gestort, zijn ze verboden.'

'De constructie is in ieder geval uitstekend,' zei Stuart. 'Ik heb van de flat hiernaast nog helemaal niets gehoord, en daar zag ik toch mensen naar binnen gaan. Ik woon zelf in een nieuwbouwflat, maar ik kan mijn buren de knopjes van de telefoon horen indrukken.'

'Als het gebouw is neergezet volgens de voorschriften die voor koopflats gelden,' zei Tamiko, 'waarom heeft hij er dan huurflats van gemaakt?'

'Dat vraag ik me ook nog steeds af,' zei Kay, terwijl ze de wijnglazen nog eens volschonk. 'Ik snap er niets van. Ik heb met Jo Harding van de financiële afdeling gesproken – zij belegt in onroerend goed – en die zei dat in deze buurt het aanbod van huurflats al jarenlang veel ruimer is dan dat van koopflats. Toen heb ik de vrouw gebeld die me de flat heeft laten zien. Ik heb een beetje tegen haar geslijmd. Zij noemde hem "een nagel aan hun doodskist", maar ze weet alleen dat het om een man gaat omdat de advocaten hem een klootzak noemen. Felice! Ga daar weg! Onmiddellijk! Hij zit ze achter de vodden wat het onderhoud betreft, weigert toekomstige huurders zonder opgaaf van redenen... Fletcher? Nog een beetje? Hij doet alsof hij er zelf woont, maar waarom zou hij genoegen nemen met een driekamerflat? Hij is toch zeker goed voor minstens vijftig miljoen. Wendy?'

'Misschien heeft hij hier alleen een pied-à-terre,' opperde Stuart, 'en heeft hij nog zes andere huizen.'

'Wie weet,' zei Kay, terwijl ze Wendy nog eens bijschonk. 'Maar ik kreeg de indruk dat hij om de haverklap wat te zeuren heeft.'

'Barry Beck weet vast wel wie het is,' zei June.

'Of de aannemer, Michelangelo,' zei Norman. 'Beck heeft het verkocht toen het nog in aanbouw was.'

'Ik vind het niet belangrijk genoeg om het verder uit te pluizen,' zei ze, terwijl ze Gary's glas volschonk. 'Ik ga ervan uit dat hij getikt is en verder gun ik hem zijn privacy. Ik ben hem dankbaar. Nemen jullie allemaal alsjeblieft nog wat kip?'

Hij zat te staren. Schudde met open mond zijn hoofd. Probeerde erom te lachen. Per slot van rekening moest je je gevoel voor humor zien te behouden, nietwaar?

Dat zij de eerste was sinds de-hemel-mag-weten-wanneer om een gegeven paard in de bek te kijken en vragen te gaan stellen, en dat haar bazen haar prompt op het spoor van Michelangelo zetten... Dat was toch zeker om je dood te lachen.

'Een nagel aan hun doodskist' en 'klootzak'. Dat loog er niet om. Hij zag dat ze de aardbeienmousse binnenbracht en op de eettafel zette. Intussen zat hij zich af te vragen of hij ooit ontdekt zou worden.

Natuurlijk, die kans bestond. Hoe kwam het dat hij die mogelijkheid nog nooit eerder had overwogen? Een kloon van Columbo komt aan de deur: 'Neemt u me niet kwalijk dat ik u lastig val, maar heeft u een ogenblikje voor me? Ik moet u een paar vragen stellen in verband met de sterfgevallen in dit gebouw...'

Rustig. Wind je niet op. Zij ging het heus niet verder uitpluizen. Dat had ze toch gezegd?

Bovendien zat Michelangelo in Rimini, waar hij viste op reuzenhaaien en de vrouw neukte met wie hij onlangs was getrouwd. Hij zou zich van de domme houden, zelfs al stelde de paus hoogstpersoonlijk de vragen. Maak je dus maar niet druk.

Hij stond op en haalde nog wat gemberbier. Vond ook nog wat kip van de afhaalchinees. Al etend sloeg hij hen gade terwijl ze kleine slokjes cafeïnevrije koffie dronken en de aardbeienmousse oplepelden, die ze uitbundig prezen. Leuk voor haar.

Hij keek naar het feestje van Vida en naar dat van de Strangersons.

Chris bracht Sally het nieuws voorzichtig.

Stefan hield een pleidooi bij Hank.

Kay liep met die goeie ouwe Norman en June naar de hal.

Wind je niet op. Maak je niet druk.

Had ze niet gezegd dat ze hem zijn privacy gunde?

'Sorry dat ik niet komen vóór het feest,' zei Dmitri.

'Dat geeft niet,' zei Kay, terwijl ze hem de slaapkamer binnenliet.

'Schiet op, Felice. Wegwezen.'

'Ketelhuis stond blank, gisteren,' vertelde Dmitri terwijl hij ter hoogte van zijn schouder een spuitbus met groene dop schudde.

'Wat vervelend,' zei ze terwijl ze met hem meeliep.

'Al gefikst. Gauw weer droog. Mmm! Mooi weer vandaag!' Hij zette de spuitbus op de vensterbank, vlak bij de rand van het bureau, en begon met beide handen aan het rechter schuifraam te trekken. Met moeite kreeg hij het een centimeter of tien open. Links deed hij hetzelfde met het andere raam. 'Geen probleem,' zei hij.

Terwijl ze over haar armen wreef omdat er koude lucht binnenstroomde, bestudeerde ze Dmitri in zijn grijze overhemd en glimmende bruine broek. Hij schudde de spuitbus nog eens en haalde de dop eraf. Wekten klemmende ramen herinneringen aan Naomi Singer, die haar laatste sprong had gemaakt en hem bijna had geraakt? Stom mens... Als ze zo nodig had moeten springen, waarom had ze dan niet het slaapkamerraam gekozen?

Zo te zien had hij nergens last van. Hij bukte zich, spoot langzaam een wolk nevel over de voorste rail en liep stapje voor stapje haar kant op. Kay ging wat dichter bij de kastenwand staan. 'Wat is dat voor spul?' vroeg ze.

'Siliconenspray,' antwoordde Dmitri terwijl hij al spuitend terugliep.

Felice sprong op de vensterbank en boog zich naar buiten, met haar rug gekromd en zwiepend met haar zwartgepunte witte staart. Dmitri zette de spuitbus neer en pakte de rand van het raam beet.

Kay deed een stap naar voren en aaide Felice over haar rug.
'Nee…' Ze tilde de poes met beide handen op, draaide haar om en
hield haar omhoog, zodat haar voorpoten gespreid waren en haar
oranje-met-witte kop vlak bij haar gezicht was. 'Néé,' zei ze nogmaals en keek strak in de groene ogen met de verticale pupil. 'NEE.
Wij leunen hier niet uit de ramen. Negen levens? Vergeet het maar.
Dit mag absoluut niet. Capito?' Felice keek naar haar. Kay keek
naar Dmitri.

Nog steeds wekte hij de indruk onaangedaan te zijn. Hij schoof het
raam naar haar toe. Kay deed een stap achteruit, zette Felice op
haar schouder en liefkoosde haar. 'Ik heb gehoord dat de eigenaar
van het gebouw een lastige kerel is.' Felice begon te spinnen.

Dmitri bespoot de andere helft van de rail. 'Ik weet,' zei hij. 'Meals
niet eigenaar.'

'Meals?'

'Meneer Meals, manager. U kent meneer Meals toch…' Donkere
ogen keken haar aan.

'Hij heeft me een brief gestuurd,' zei ze. 'Was hij tevreden over het
marmer in de hal?'

'*Da*! Had ik niet gedacht. Marmer was goed.' Hij zette de spuitbus
neer, trok het raam naar zich toe en schoof het heen en weer. 'Ziet
u? Geen probleem.' Het raam gleed soepel over de rail, van links
naar rechts, van rechts naar links.

'Geweldig,' zei ze. Felice begon nog harder te spinnen. Terwijl ze
haar aaide, keek ze toe hoe Dmitri de buitenrail bespoot. 'Dmitri…' zei ze, 'een vraag… Heeft meneer Mills ooit tegen je gezegd
dat je… extra aandacht moest schenken aan een bepaalde huurder?
Dat je goed moest luisteren naar wat hij zegt en dat je moet doen
wat hij vraagt?'

Hij knikte. '*Da*,' zei hij. 'Een zij…'

'Een vrouw?' zei ze.

'U,' antwoordde hij.

'Ik?'

Hij knikte en zette de spuitbus neer. 'Toen u contract tekende.' Hij
schoof het buitenste raam naar zich toe.

'Toen ik het contract tekende?'

Hij trok het voorste raam naar zich toe en keek haar aan. 'Kent u
meneer Meals niet?' vroeg hij. Zijn donkere ogen twinkelden boven zijn appelwangen.

'Nee,' antwoordde ze.

Hij haalde zijn schouders op. 'Hij zegt: "Let goed op zij heeft naar de zin. Zorg extra goed voor haar."' Hij pakte de spuitbus en schudde hem heen en weer.

Ze pakte Felice van haar schouder, zette haar op het kleed en keek Dmitri aan. 'Weet je zeker dat hij mij bedoelde?'

'"Mies Norris komt in 20B,"' citeerde Dmitri terwijl hij het andere stuk buitenrail bespoot, '"Let goed op zij heeft naar de zin. Zorg extra goed voor haar."'

'En hij zegt niet altijd zoiets, als...'

Hij schudde met zijn hoofd. 'Nooit. Nooit. Alleen bij u.'

'Ik snap er niets van...' zei ze.

Hij schoof beide ramen een paar keer heen en weer. Vervolgens nam hij de ramen in de woonkamer onder handen.

Toen ze hem wat toe wilde stoppen, deinsde hij met opgeheven handen achteruit. 'Nee, nee. Alstublieft. Graag gedaan. Nee.'

Ze drong niet aan.

Daarna ging ze verder met schoonmaken.

Wendy belde om haar te bedanken. Het gesprek ging over June, die er stukken beter uitzag, en over wat er tussen Tamiko en Gary gaande was.

Tamiko belde. Ze spraken over Stuart en Wendy.

June. Na de koetjes en kalfjes zei Kay: 'June, ik wil toch wel eens weten wie de eigenaar van dit gebouw is. Kun je mij het telefoonnummer van die aannemer geven, of van de makelaar, of van allebei?'

'Ja, Civitas heeft ze vast wel ergens.'

'Maandag bel ik de manager,' zei Kay, 'maar hij werkt op hetzelfde kantoor als de vrouw die ik heb gesproken. Waarschijnlijk weet hij niet meer dan zij. En ik kan me niet voorstellen dat die advocaten erg mededeelzaam zijn. Maandag laat ik je weten of ik het doorzet. Doe voor die tijd nog geen moeite.'

'Waardoor ben je van gedachten veranderd?'

Kay vertelde het haar.

'Wat een prachtverhaal! Zó uit *Lydia's Landlord* gestapt.'

'*Olivia's Landlord*,' zei ze. '*Lydia's Doctor*.'

'Nou ja, doet er niet toe. Kom je morgenmiddag scrabbelen? Ze voorspellen regen. Paul komt ook.'

Ze stelde de beslissing nog even uit.

Bedankt, Dmitri.

Nee, hijzelf werd bedankt, want hij had tegen Edgar gezegd dat ze extra goed voor haar moesten zorgen. Alsof iemand haar anders onheus zou hebben bejegend of van de trap geduwd.

Hij wist precies wat hem nu te doen stond, of hij er zin in had of niet. En vóór maandagochtend.

Nadat Edgar de boot had afgehouden en Barry Beck een vaag antwoord had gegeven, zou ze meteen Dominic Michelangelo bellen. Misschien hield die zich van de domme, maar misschien inspireerde zij hem tot de voor hem typerende, inventieve machobenadering. *Was ze wel eens op de televisie geweest? Zo te horen was ze daar mooi genoeg voor...* Vooral als ze hem trof met een glas in zijn hand, en het was tegenwoordig moeilijker hem zonder te treffen. *Wist ze zeker dat ze nog nooit op de televisie was geweest?*

En zij zou zich afvragen hoe het kwam dat hij, een veertiger, rentenierde in Rimini...

Vóór morgen al moest hij het doen. Want morgen zou ze de hele middag zitten scrabbelen en misschien blijven eten.

Een deel van hem wilde niets liever, dat wist hij. Hij wist ook welk deel van hemzelf. Je kunt niet drie jaar lang naar een zieleknijper van dr. Palmes kaliber kijken zonder beter inzicht in je persoonlijkheid te krijgen.

Maar ze liet hem geen keus. Zodra ze de camera's ontdekte, zou ze links en rechts alarm slaan. Een rechtschapen iemand als zij was onstuitbaar. Dan was het met hem gedaan. Ze zouden hem zelfs Brendans hartaanval in de schoenen schuiven, al maakte een aanklacht meer of minder geen verschil.

Het moest uit voorzorg gebeuren, niet omdat hij bang was.

Hij bewaarde zijn kalmte en bekeek de zaak van alle kanten, terwijl zij bezig was met opruimen en vervolgens boodschappen ging doen. Daisy's vader, overgekomen uit Washington, trakteerde Glenn en Daisy op de laatste, nog geheime, analyse van de crisis in het Midden-Oosten. Hij kon zich niet concentreren en nam niet de moeite het op te nemen.

Hij bepaalde zijn strategie tot in de details. Probeerde rustig te blijven.

Zelf ging hij ook nog een paar boodschapen doen. Hij liep haastig langs Madison, hopend dat hij haar niet tegen het lijf zou lopen. Hij wachtte tot ze thuiskwam.

Ze ging aan haar bureau zitten en werkte door aan het manuscript waar ze de hele week al aan bezig was.

Hij zette de fles in de koelkast. Sloeg haar gade. Wachtte.

Toen beide klokken 17:08 aangaven, belde hij haar op. Ze was net klaar met een korte pagina aan het einde van een hoofdstuk. Felice lag midden op het bed te dommelen. Hij had scherm één aanstaan, scherm twee was grijs.

Toen hij zich meldde, zat ze met haar gezicht naar het toestel dat bij het raam op haar bureau stond. Hij kon haar gezicht dus niet zien, maar gaf haar geen gelegenheid om iets te zeggen.

'Neem me niet kwalijk dat ik je stoor,' zei hij, 'maar ik zou je even ergens over willen spreken. Het onderwerp is een beetje te zwaarwichtig voor door de telefoon. Het heeft met het gebouw te maken. Heb je een paar minuten voor me, alsjeblieft?'

'Nu meteen?' vroeg ze, terwijl ze de stoel omdraaide, haar bril in haar haren schoof en naar Felice keek, die met gekromde rug op het bed stond.

'Als het niet ongelegen komt,' zei hij.

'Nee, eigenlijk niet...' zei ze.

'Mag ik boven komen?' vroeg hij.

Ze rolde de stoel dichter naar het bed toe. Felice kwam met stramme poten naar haar toe. 'Over tien minuten,' zei ze. Felice sprong op haar schoot. 'Au,' zei ze en draaide haar stoel terug. 'Ik werd net besprongen door een poes.'

Glimlachend zei hij: 'Het leven zit vol gevaren. Tot zo.'

'Tot zo,' zei ze.

Ze legden neer.

Hij ademde diep in. Ademde langzaam uit. Keek toe hoe ze de stoel terugdraaide, haar bril op het bureau legde en Felice over haar rug aaide. 'Hmm,' zei ze. 'Interessant...'

'Net wat je zegt...' zei hij.

Ze knipte de lamp uit en rolde de glanzende klep van het bureau omlaag. Stond op en zette Felice op het kleed. Terwijl ze haar overhemdblouse alvast losknoopte, liep ze naar de kastenwand.

Ze ging zich voor hem verkleden. Aardig...

Hij keek naar zijn vlekkerige spijkerbroek.

Het leek hem raadzaam om ook maar iets anders aan te trekken.

5

Kay trok een zwarte spijkerbroek aan met haar beige coltrui en zwarte lage schoenen. Borstelde haar haar en deed lippenstift en blusher op. Waarom ook niet? Ze vroeg zich af wat hij te zwaarwichtig vond voor door de telefoon. Iets dat met het gebouw te maken had. Zou het verband houden met de sterfgevallen? Ze hoopte van niet, want daar wilde ze liever niet aan herinnerd worden. Terwijl ze *Strike Up the Band* neuriede, deed ze het licht in de badkamer uit, liep de gang in en knipte daar de lamp aan. Vervolgens ging ze door naar de woonkamer om daar de schemerlampen aan te doen.

De lucht van Dmitri's spuitbus hing nog in het vertrek. Toen ze het rechter raam openschoof, moest ze het tegenhouden omdat het te ver dreigde door te schieten. Goed gedaan, Dmitri. Ze duwde het terug tot het nog een handbreedte openstond. De lucht was donker; het speelgoedverkeer, minder druk dan door de week, stroomde en stagneerde in de rozegele gloed van de straatlantaarns.

Ze spitste haar oren of ze de liftdeur hoorde en liep terug naar de slaapkamer om daar het linker raam een eindje open te zetten. Terwijl ze door de gang terugliep, voelde ze koele lucht langs zich heen strijken. Felice keek naar haar vanuit de keuken; ze stond op haar achterpoten en zette haar nagels in de krabpaal.

'Brave poes, slimme poes,' zei Kay en liep erheen. Ze pakte de doos kattesnoepjes uit de kast, schudde er een uit en mikte hem Felice toe. Nadat ze doos had teruggezet, pakte ze iets lekkers voor zichzelf uit de koelkast: een cherry-tomaatje dat ze onder het plasticfolie uit viste. Al kauwend spoelde ze haar vingers af en droogde ze aan de theedoek.

Ze liep naar de woonkamer. Legde de boeken en de fruitschaal minder ordelijk op de lage tafel. Trok de zonwering helemaal omhoog en zette die vast. Stond te kijken naar een lange verhuiswagen die Ninety-second Street in manoeuvreerde; het kenteken stond in zwarte cijfers en letters op het roze-met-goudkleurige dak. Doordat hij een paar keer heen en weer moest steken, kwam het verkeer vast te zitten. Claxons toeterden schel.

Felice miauwde en ging bij de voordeur staan. Ze miauwde nog een keer naar het kiertje onderaan bij de mat.

Toen Kay naar de deur liep, werd er gebeld. Ze boog zich naar het kijkgaatje, deed de deur van het slot en maakte hem open. 'Hallo,' zei ze en stak hem glimlachend haar hand toe.

'Hallo,' zei Pete en schudde haar de hand. Glimlachte en kwam binnen, gekleed in een kanariegele sweater met een wit overhemd eronder, een kaki broek met een messcherpe vouw en witte gympjes, zo te zien nieuw. Felice snuffelde eraan. Pete hurkte bij haar neer en streek met zijn hand over haar kop en oren. 'En dit is dan de beroemde poes die zo goed kan springen,' zei hij terwijl hij haar in haar nek kroelde. 'Wat een schoonheid...' Toen hij met een vinger in haar hals kriebelde, stak Felice met gesloten ogen haar oranje-met-witte kop omhoog. In zijn kastanjebruine, vochtige haar waren de sporen van de kam nog zichtbaar. 'Hoe oud is ze?'

'Bijna vier,' antwoordde Kay glimlachend. Ze deed de deur dicht. 'Hoe heet ze?'

'Felice.'

Zijn blauwe ogen keken naar haar op. 'De vrouwelijke vorm van Felix?' vroeg hij.

'Inderdaad,' zei ze terwijl ze glimlachend op hem neerkeek. 'Jij bent de tweede binnen vierentwintig uur die dat opmerkt. Niet te geloven. De meeste mensen zien het verband niet.'

'O nee?' Hij keek glimlachend naar Felice, die de zijkant van haar kop tegen zijn liefkozende hand duwde.

'Ik had gisteravond bezoek, en iemand had het opeens door,' zei ze. 'Iemand die haar al ruim een jaar kent.'

'Het is een prachtige naam voor een vrouwtjespoes,' zei hij.

'Het is ook het Spaanse woord voor geluk,' zei ze, 'maar dat was geen opzet.'

'Ach ja, *feliz*,' zei hij en kwam overeind. 'Há, geweldig... Tjonge, wat een schilderij. Schitterend...'

'Dat heeft mijn beste vriendin gemaakt,' vertelde ze.

'O ja? Ze is vast geen amateur.'

'Nee, ze heeft hier en in Toronto al eens geëxposeerd. Roxanne Arvold.'

Hij kneep zijn ogen halfdicht. 'Heel knap zoals ze de gratie van de valk heeft weergegeven,' zei hij, 'en de fijne tekening van alle veren, zonder je te laten vergeten dat het een roofvogel is.'

'Dat was haar bedoeling ook…' Kay keek hem onderzoekend aan. Hij draaide zich om en keek de woonkamer binnen. 'Zo, dat ziet er goed uit,' zei hij. 'Je hebt het smaakvol ingericht. Mooie kleuren…'

'Nog niet alles wat ik heb besteld is al aangekomen,' zei ze terwijl ze achter hem en Felice aan liep.

Hij ging voor de Zwick staan. 'Deze vind ik ook mooi,' zei hij. 'Het heeft de sfeer van Hopper. Ook een kennis van je?'

'Nee,' antwoordde ze. 'Gekocht op een tentoonstelling in Washington Square.'

Hij liep rond. 'Sfeervol…' zei hij. Keek naar de bank. 'Hoe noem je die kleur eigenlijk?'

Ze hield haar hoofd scheef en keek ernaar. 'Abrikoos.'

'Abrikoos…' Hij bekeek de bank aandachtig. 'Prachtige tint…'

Ze keek glimlachend naar hem en naar de bank. 'Eens was het ook een prachtige bànk,' zei ze, 'tot Felice haar nagels erin zette. Als ze heeft geleerd om zich op de krabpaal uit te leven, laat ik hem opnieuw bekleden. Ik heb het idee dat ze in de armleuningen begint te krabben nog voordat ik goed en wel in de lift sta.'

'Daar zou je wel eens gelijk in kunnen hebben,' zei hij glimlachend. Hij bukte zich om Felice, die langs zijn broekspijp streek, over haar kop te aaien. 'Zo zijn katten nu eenmaal…' Hij keek om zich heen. 'Tjonge,' zei hij terwijl hij zijn rug rechtte. 'Dertien of twintig, dat maakt een groot verschil.' Hij liep naar het rechter raam en keek naar buiten. 'Fantastisch. Ik kijk op het dak van Hotel Wales en de achterkant van dat gebouw.'

'Kijk uit,' zei ze terwijl ze naar het raam liep. 'Ze schuiven heel gemakkelijk. Dmitri heeft de rails vanmorgen behandeld.'

'Is dat Queens of Brooklyn?' vroeg hij.

'Queens,' zei ze terwijl ze door het linker raam naar buiten keek. Hij floot. 'Wat een uitzicht.' Hij streek de staart van Felice, die over de vensterbank wandelde, naar beneden.

Ze keken uit over de glinsterende torenhoge gebouwen, de blauwe en goudkleurige lampen van de brug die in het water weerspiegelden, en verre lichtschijnsels. Sterren fonkelden in het duister boven hen; enkele ervan bewogen, rood met wit. 'JFK ligt ergens die kant op,' zei hij.

'Waar wilde je me eigenlijk over spreken?' vroeg ze.

Hij draaide zich naar haar toe en haalde diep adem. Zijn ogen stonden zorgelijk. 'Ik voel me schuldig,' zei hij. 'Laatst, in de wasruimte, vroeg je of ik wist wie de eigenaar van het gebouw was. Ik zei nee. Volgens mij laat die vraag je nog niet los, want je zei dat het je verbaasde dat het huurflats waren geworden, terwijl er zo veel geld in was gestoken.' Hij glimlachte. 'Ik heb het gevoel dat jij iemand bent die... doorgaat met puzzelen tot je de oplossing hebt gevonden.' Hij haalde zijn schouders op. 'En ik zou niet graag willen dat je werk eronder lijdt.'

'Weet je wie de eigenaar is?' vroeg ze.

Hij knikte.

'Wie dan?'

Hij tikte met zijn vinger tegen zijn borst onder de kanariegele sweater. 'Ik,' antwoordde hij. 'Ik ben de eigenaar.'

Ze keek hem strak aan.

'Ik ben gedeeltelijk in deze buurt opgegroeid,' vertelde hij. 'Behalve een huis in Pittsburgh hadden mijn ouders ook een appartement aan Park Avenue. Plus een huis in Palm Beach...' Hij slaakte een zucht en glimlachte. 'Toen ik eenentwintig werd, heb ik de hele bups geërfd,' zei hij. 'Hier beviel het me het best, dus ben ik in het Wales getrokken tot ik iets geschikts had gevonden. Dat is vijf jaar geleden. Hoor eens, Kay... Vind je het goed dat ik Kay zeg?'

Ze knikte. 'Natuurlijk.'

'Mag ik het raam dichtdoen?' vroeg hij. 'Het wordt een beetje fris zo.'

'Jazeker. Ga je gang,' zei ze. 'En ga alsjeblieft zitten.'

Hij schoof het raam dicht.

Kay ging in een hoekje van de bank zitten, met een been opgetrokken onder zich.

Pete nam plaats in een fauteuil, sloeg zijn benen over elkaar en trok zijn broekspijpen op om geen knieën in de keurige vouw te maken. Felice nestelde zich op een kussen dat bij de verwarming onder het raam lag. Ze hield hen in de gaten.

'Zoals ik dus zei,' vervolgde hij terwijl hij zich naar haar toe boog, met een elleboog op de stoelleuning en zijn handen gevouwen, 'nam ik mijn intrek in het Wales. Op de zesde verdieping, aan de voorkant. Ik zag dat de twee herenhuizen die hier stonden werden gesloopt, dat het perceel bouwrijp werd gemaakt, het beton werd gestort... Toen kwam de gedachte bij me op dat het fantastisch zou zijn om eigenaar te zijn van een flatgebouw èn er zelf in te wonen. Ik had het vroeger immers zo naar mijn zin gehad op nummer 1185... Daar hebben we namelijk gewoond, in dat grote pand met die binnenplaats. Weet je welk huis ik bedoel?'

Ze knikte.

'En onroerend goed is een goede investering, toch? Zo is Donald Trump ook begonnen.' Hij glimlachte. 'Ik gaf mijn juridisch adviseur dus opdracht het te kopen,' vervolgde hij. 'Ik heb er huurflats van gemaakt omdat ik dan meer speelruimte heb. Als het koopflats zouden zijn en iemand blijkt de andere bewoners overlast aan te doen, bijvoorbeeld door elke avond luidruchtig te feesten, dan zou ik met zo iemand opgescheept zitten. Je kunt het geloven of niet, maar ik vertel niemand dat ik de eigenaar ben, zelfs die lui van MacEvoy-Cortez niet. Ik wil namelijk geen gezeur van mensen die over kleinigheden bij me komen klagen, en ik wil ook niet dat het personeel voortdurend mijn kont likt, als je me die uitdrukking wilt vergeven.'

'Woon je hier het hele jaar?' vroeg ze.

Hij knikte. 'Ik houd me met computers bezig,' zei hij. 'Ik geef niets om jachten en villa's. O, in de toekomst koop ik nog wel eens iets groters, met een biljartkamer en misschien een zwembad, maar op dit moment heb ik meer aan een compact appartement. Ik kan voor mezelf zorgen zonder dat iemand in mijn paperassen en spullen rommelt.'

'Waarom heb je de bovenste verdieping niet zelf genomen?' informeerde ze glimlachend. 'Ik zou het wel weten.'

Hij glimlachte. 'Ik zei toch al: ik houd me met computers bezig. Ik zit de hele dag, plus een groot deel van de nacht, naar het scherm te turen. Het uitzicht zou aan mij niet besteed zijn. Daarom zit ik op de dertiende verdieping, want die raak je moeilijk kwijt. Je zou raar opkijken als je wist hoeveel mensen bijgelovig zijn.'

'Vooral nu,' merkte ze op.

Hij knikte. 'Vooral nu.' Hij slaakte een zucht.

'Het is heel vervelend voor je,' zei ze. 'Is het gebouw in waarde gedaald?'

Hij haalde zijn schouders op. 'Een beetje, misschien. Maar dat komt wel weer goed.'

Ze glimlachte hem toe. 'Je had gelijk,' zei ze. 'De vraag hield me nog steeds bezig. De dag nadat wij elkaar hadden gesproken heb ik het zelfs aan mevrouw MacEvoy gevraagd.'

'O ja?' zei hij.

'Nu heb ik het gevoel dat ik een beetje... onbescheiden ben geweest.'

'Doe niet zo gek,' zei hij. 'Het pleit voor je dat je zo vasthoudend bent. Zoals ik al zei: ik voelde gewoon dat je zo was.'

Ze glimlachten elkaar toe.

'Wil je iets drinken?' vroeg ze.

'Graag. Waarom niet?' zei hij. 'Een gin-tonic?'

'Wodka?' vroeg ze terwijl ze opstond.

'Ook goed,' antwoordde hij. 'Je hebt ontzettend veel boeken.' Hij keek de kamer rond. 'Hoeveel heb je er zelf geredigeerd?'

Ze bleef achter de bank staan en draaide zich om. 'Pete,' zei ze. 'Dmitri zei dat hij opdracht had extra goed voor me te zorgen. Waarom?' Ze keek hem aan.

Hij haalde diep adem. Zette zijn benen naast elkaar en leunde voorover, met zijn onderarmen op zijn knieën. 'Je wordt bedankt, Dmitri,' zei hij. Even later keek hij naar haar op en knikte. 'Toen je de flat kwam bekijken,' zei hij, 'was ik toevallig in de postkamer. Ik ving een glimp van je op.'

'Een glimp?' vroeg ze glimlachend.

Hij zei: 'Heb je ooit van de televisiester Thea Marshall gehoord?'

Ze keek hem aan.

Hij rechtte zijn rug en bestudeerde haar. Zijn blauwe ogen schitterden. 'O mijn god,' zei hij. 'Nu bedenk ik pas dat je natúúrlijk van haar hebt gehoord. De mensen hebben je vast tot vervelens toe verteld dat je op haar lijkt. Dat bedenk ik nu pas. Jezusmina...' Hij schudde zijn hoofd, glimlachte en stond op. 'Dat is toch zo?' Hij liep naar haar toe. 'Dat zeggen ze toch zeker tegen je? Hoewel, tegenwoordig misschien niet zo vaak meer, hè?'

Ze zei: 'Een enkele keer...'

'Je stem lijkt ook op die van haar.' Hij steunde met beide handen op de rugleuning van de bank en schonk haar zijn overrompelende glimlach. 'Eén glimp was dus voldoende om me tot je aangetrokken te voelen,' vertelde hij, 'maar dat was je vast al opgevallen. Dr. Palme zegt dat het universeel is. Uitzonderingen op de regel zijn er niet. Het Oedipuscomplex, bedoel ik. Ze was mijn moeder. Thea Marshall.' Hij knikte glimlachend. 'Mijn moeder.' Knikte nogmaals. 'Thea Marshall.' Hij knipperde met zijn ogen, glimlachte. 'Dat heb ik hem een keer in de lift horen zeggen,' zei hij. 'Dr. Palme van 2A. Hij is psychiater, een goeie. Specialist in het Mount Sinai Ziekenhuis.'

Ze keek hem aan. Stak twee vingers op. 'Twee wodka-tonic...'
Ze ging naar de keuken. Haalde eens diep adem. Pakte glazen uit de kast.

Hij liep mee, leunde met zijn kanariegele mouwen op de ontbijtbar en keek toe terwijl zij halve-maanvormige schijfjes ijs in de glazen deed. 'Ze was een groot actrice,' zei hij. 'Zo levensecht, ongelooflijk. Ze heeft tijdens de hoogtijdagen van de televisie meegespeeld in alle grote dramaprodukties... *The US Steel Hour, Kraft Theatre, Philco Playhouse, Studio* One... In het omroepmuseum worden ampexbanden van drie van haar stukken bewaard. In twee daarvan speelt Paul Newman een bijrol. Hallo, Felice.'

Felice miauwde en liep naar haar waterbakje.

Kay schonk wodka over de ijsblokjes.

'Tijdens een groot deel van mijn jeugd speelde ze mee in *Search for Tomorrow*,' vertelde hij. 'De grote toneelprodukties verhuisden voor het merendeel naar de westkust, maar mijn vader vond het niet goed dat ze daarheen ging. En dus moest ze met soap-series genoegen nemen. *The Guiding Light* en daarna *Search for Tomorrow*. Wat een baan! 's Morgens repeteren, 's middags de opnamen, een opzet maken voor de show van de volgende dag, en dan naar huis om de tekst erin te stampen; repeteren, opnemen, opzet maken, studeren – zo ging het maar door. Ik zag haar vrijwel alleen op de buis! Maar ze was een geweldig actrice. Levensecht tot en met. Eén jaar in *The Guiding Light* en zes jaar in *Search for Tomorrow*...'

Kay deed tonic bij de wodka. 'Wat deed je vader?' vroeg ze.

'Hij was president-directeur van U.S. Steel,' antwoordde hij.

Ze keek hem van opzij aan.

Hij glimlachte. 'Ik weet wat je denkt,' zei hij. 'Je denkt dat hij zijn invloed heeft gebruikt om haar die rollen te bezorgen. Dat heeft hij niet gedaan, noch bij *The Steel Hour*, noch bij *Kraft Theatre*, al bezat hij heel wat aandelen Kraft. Maar dat heeft hij niet gedaan. Wat haar carrière betreft heeft hij zich altijd afzijdig gehouden, zo wilden ze dat allebei. Zij had geen hulp nodig om goede rollen te krijgen, want ze was echt een groot actrice.'

Kay sneed een citroen in schijfjes. 'Heb je nog broers en zussen?'

'Nee,' zei hij. 'Jij?'

'Een jongere broer.' Felice zette haar nagels in de krabpaal en keek naar haar op. 'Brave poes,' zei Kay en liep naar het kastje.

'Je moet haar niet meteen wat geven,' zei hij. 'Laat haar eerst maar eens flink krabben. Ze speelt met je.'

Met het kastdeurtje al open keek ze hem aan. Felice stond op haar achterpoten, met haar voorpoten tegen de krabpaal, en keek naar haar op. Ze krabde nog eens demonstratief.

'Je hebt gelijk,' zei Kay en deed het kastje dicht.

'Sorry, Felice,' zei Pete.

Felice keek van hem naar haar en terug.

Ze begonnen zachtjes te lachen.

Felice liet de krabpaal los en wandelde naar de gang. Haar zwartgepunte staart zwiepte.

'Ik heb er een vijand bij,' merkte hij op.

'Ze trekt wel bij,' zei Kay glimlachend. 'Je hebt gelijk. Ik laat me door haar inpakken. Ze is ook zo verrekte slim...' Ze reikte hem zijn drankje aan.

'Dank je.' Hij hief zijn glas. 'Proost,' zei hij.

'Proost,' zei zij en klonk met hem.

Ze glimlachten elkaar toe en namen een slokje.

Kay draaide zich om, liep naar de woonkamer en zei, met enige stemverheffing: 'Het kan geen toeval zijn dat Sam Yale hier ook woont.'

Glas viel op het parket in splinters, drank spetterde rond. Kay bleef staan.

'Shit, wat ben ik toch een stoethaspel...'

'Geeft niets,' zei ze. Zette haar glas neer en pakte de keukenrol.

'Ook wat dat betreft ben je de tweede binnen vierentwintig uur.'

De rand van het kleed was nat, evenals de omslag van zijn broek. Op hun hurken depten ze het parket met proppen keukenrol droog en visten ze de scherven uit het plasje drank. Felice kwam kijken wat er aan de hand was.

'Het spijt me van het glas,' zei hij.

'Ik zal het met de huur verrekenen,' zei ze.

Glimlachend depten ze verder.

'Nee,' zei hij, 'het is geen toeval dat Sam Yale hier woont. Zijn jullie bevriend?'

'We kennen elkaar oppervlakkig,' zei ze. 'Op de dag dat ik hier kwam wonen stond hij achter me in de rij bij de kassa van Murphy's. Hij was me gevolgd.'

'Ik dacht al dat jullie elkaar vroeg of laat zouden ontmoeten.'

'Veel eerder had nauwelijks gekund.' Ze keek hem aan. 'Was het puur toeval dat jij in de buurt was om me welkom te heten?'

Hij glimlachte. 'Geen commentaar.' Hij pakte voorzichtig een glasscherfje van de vloer en legde het op een stuk keukenrol. 'Zijn aanwezigheid hier heeft allerlei redenen,' zei hij, 'waar ik beter niet op in kan gaan.'

'Hij heeft me verteld dat hij aan de drank is geweest,' zei ze, 'en dat hij geholpen wordt door een stichting.'

Hij keek haar aan.

'Carnegie Hill of zoiets. Dat weet je vast wel.'

Hij vroeg: 'En dat heeft hij je allemaal in de supermarkt staan vertellen?' vroeg hij.

'Nee, op een dag in het park.'

'O.'

Ze droogden de vloer.

'Als de zaak er zo voor staat,' zei hij, 'kan ik je net zo goed het hele verhaal vertellen.'

Ze brachten de natte keukenrol en ingepakte glasscherven naar de keuken. Pete gooide ze in de stortkoker, terwijl Kay een nieuw drankje voor hem inschonk.

In de woonkamer gingen ze allebei in een hoekje van de bank zitten, met een been onder zich gevouwen. Ze pakten hun glas en klonken glimlachend met elkaar.

Hij nam een slok en keek naar zijn glas. 'Volgens mij hadden ze een verhouding,' zei hij. 'Dat kan ik hem niet kwalijk nemen. Als hij haar gelukkig maakte, prima. Mijn vader vroeg erom. Hij was een grote schoft en had zelf de ene vriendin na de andere.'

Ze bestudeerde hem. Hij haalde diep adem en nam nog een slok.

'Toen ze dood was,' zei hij, 'is Sam bijna tien jaar uit de publiciteit verdwenen. Tenminste, je zag zijn naam nergens meer. Een paar maanden nadat ik het gebouw had gekocht hoorde ik pas weer iets van hem. Hij hield een lezing in de New School, getiteld "Regisseren tijdens de Gouden Eeuw van de televisie". Vanzelfsprekend ben ik erheen gegaan. Het was een tamelijk genante vertoning. Hij was halfdronken, hield een onsamenhangend betoog, en wist niet meer welke vraag hij aan het beantwoorden was...'

Zuchtend schudde ze haar hoofd.

'Ik ben op onderzoek uitgegaan,' vertelde hij. 'Hij woonde in een gribus in Bleecker Street en gaf toneellessen. Een opleiding daar in de buurt had hem de laan uit gestuurd. Ik dacht: als hij weet dat het geld van mijn vader afkomstig is, neemt hij het niet aan. Daarom heb ik mijn juridisch adviseur opdracht gegeven die stichting op te richten. Dat is een fluitje van een cent. De stichting heeft iemand in dienst genomen die contact met hem heeft gezocht en hem naar een afkickcentrum heeft gebracht, hier vlak om de hoek. Toen dit gebouw klaar was, heeft de stichting een flat voor hem gehuurd.'

'Dat is en blijft ongelooflijk royaal en aardig van je.'

Hij haalde zijn schouders op. 'Hij heeft enkele van Thea Marshalls beste voorstellingen geregisseerd,' zei hij. 'Ik wist dat zij hem had willen helpen, zelfs al hadden ze geen verhouding gehad. En zoals ik al zei: ik neem het hem niet kwalijk als het wel zo was.'

'Dat is duidelijk,' zei ze.

Ze glimlachten naar elkaar en namen nog een slokje.

'Zo,' zei hij. 'We zijn een beetje afgedwaald, maar dat was wat ik je wilde vertellen. Ik ben de eigenaar, dus over die kwestie hoef je je het hoofd niet meer te breken. Ik heb trouwens nog een leugentje verteld die middag. Ik had op je aanvraagformulier gezien dat je een kat had. Zaterdagochtend was ik helemaal niet in de supermarkt. Ik gokte erop dat je dan je boodschappen doet en dat je die keer kattebakkorrels had gekocht.'

Ze glimlachte hem toe. 'Je kunt goed gokken,' zei ze. 'Beide leugens zijn je vergeven. Van harte.'

Ze namen allebei nog een slok.

Felice sprong tussen hen in op de bank. Wandelde over het zachte fluweel en snuffelde aan zijn strelende vingers. Hij aaide haar over haar kop. 'Zij heeft het me ook vergeven,' zei hij.

Ze keek hem aan. 'Ben je niet bang dat ik het zal overbrieven aan de andere huurders?'

'Nee,' zei hij en schudde zijn hoofd. 'Dat doe je niet. Jij... jij gunt me mijn privacy.'

'Hoe weet je dat?' wilde ze weten.

Hij haalde zijn schouders op. 'Dat weet ik gewoon.' Zijn sprankelende blauwe ogen keken haar aan. 'Zo ben jij nu eenmaal,' zei hij. 'Beoordeel ik je verkeerd?'

Ze schudde haar hoofd en keek hem aan. 'Nee,' antwoordde ze, 'dat doe je niet.'

Ze dronken hun glas leeg.

Felice nestelde zich tegen zijn knie. Hij speelde met haar oranje oor en liefkoosde haar kop. 'Wat een schoonheid...'

'Wil je soms een hapje meeëten?' vroeg Kay. 'Ik heb een koelkast vol kipsalade met dragonsaus, en verrukkelijke aardbeienmousse...'

'Dat klinkt aanlokkelijk,' zei Pete glimlachend. 'En ik heb een fles voortreffelijke Dom Perignon-champagne, het soort dat James Bond altijd drinkt. Zal ik naar beneden rennen en die ophalen?'
Ze glimlachte hem toe. 'Waarom niet?'

'Alex is zestien jaar ouder dan ik. Hij doceert architectuurgeschiedenis aan de New York University. We leerden elkaar kennen toen hij wetenschappelijk medewerker was aan de faculteit in Syracuse. Ik was tweedejaars.'
'Nog een beetje warmer?'
'Graag.'
Met de arm die hij om haar heen geslagen had, tastte hij naar de douchekraan en draaide die iets verder open.
'We trouwden pas toen ik negenentwintig was,' vertelde ze. 'Mmm, lekker. En Jeff is twáálf jaar ouder. Jij bent dus niet de enige met een oudercomplex.' Terwijl hij waterdruppels van haar wenkbrauwen likte, kuste ze hem in zijn hals.
'Jij probeert tenminste van je complex af te komen,' zei hij. Lachend kusten ze elkaar.
En nog eens. 'O god...' Draaiden zich al kussend naar elkaar toe.
'Als we zo doorgaan, komen we in het Guinness Recordboek...'
'Doe dat nog eens...'
'Wacht even...'
Ze liet hem los en tastte naar de douchekraan om hem nog iets verder open te zetten.

Deel 2

6

Als op vleugels kwam ze het kantoor binnen. Glimlachend wenste ze Gary, Carlos, Jean en Sara goedemorgen. Ze hoopte dat ze niet aan haar gezicht könden zien dat ze zaterdagnacht en de hele zondag verrukkelijk had liggen vrijen met een man van zesentwintig. Nog nooit had ze iemand ontmoet die zo opmerkzaam en attent was en die haar zo goed aanvoelde.

Roxie was op de hoogte, maar Kay was niet van plan het nieuws aan de grote klok te hangen.

Om half elf ging ze even bij June langs om te vragen hoe het scrabbelen was gegaan. Kay zei tegen haar dat ze geen moeite meer hoefde te doen om die telefoonnummers te achterhalen, want ze had met de beheerder gesproken en er bleek een misverstand in het spel te zijn. Hij had de conciërge, die nog niet zo goed Engels sprak, opdracht gegeven om extra goed voor àlle huurders te zorgen. Ze was dus weer terug bij af en gunde de eigenaar zijn privacy. De werkelijkheid was anders dan in *Olivia's Landlord*. Maar toch bedankt. Kay vond het niet prettig om June iets op de mouw te spelden, zelfs niet een leugentje om bestwil, maar ze was bang dat ze alles zou verklappen als ze zou vertellen hoe ze erachter was gekomen wie de eigenaar was.

De vorige avond had ze Roxie door de telefoon wel alles verteld. 'Hij heeft prachtige blauwe ogen en hij kijkt dwars door me heen, ik zweer het je! En hij doorziet niet alleen mij, Roxie. Hij zag je valk – hij vindt hem schitterend – en begreep meteen wat je ermee wilde uitdrukken. Hij gebruikte bijna letterlijk jouw bewoordingen! En zelfs Felice heeft hij door! Je hebt geen idee hoe opmerkzaam hij is! En geestig, en lief, en stapelgek op mij...'

Ze had Roxie verteld wie zijn moeder was geweest, en wie zijn vader, dat hij niets om geld gaf en dat hij zijn eigen was deed, terwijl zijn flat eenvoudig was ingericht met spullen van Habitat, voor zover je dat kon zien, zo'n rommel was het er...

Ze wist dat het geen duurzame relatie zou worden, want er was per slot een leeftijdsverschil van dertien jaar. Dat wilde ze ook niet, om hem, want hij moest nog kinderen kunnen krijgen. Maar in ieder geval was het tijdelijk voor hen beiden het mooiste dat hun had kunnen overkomen.

Roxie, die dolbij voor haar was, was het met haar eens geweest.

Zou dr. Palme er ook positief tegenover staan? Dat hoopte ze maar, en ook dat Pete zich binnenkort zo zeker over hun relatie zou voelen dat hij haar zou bekennen dat hij in therapie was. Het kon toch niet anders of de arme jongen had littekens opgelopen doordat hij zijn moeder nauwelijks had gezien, behalve op de televisie?

Ofschoon er natuurlijk een kleine kans bestond, een heel kleine kans, dat hij de psychiater inderdaad in de lift – tussen de hal en de tweede verdieping – over het Oedipuscomplex had horen praten. Een kans van één op een miljoen?

Terwijl ze in haar kantoor zat, met uitzicht op andere glazen kantoortorens, was de verleiding groot hem op te bellen. Gewoon even hallo zeggen, om te kunnen constateren dat hij inderdaad bestond, daarginds op Carnegie Hill.

Nee. Ze nam zich voor niet te opdringerig te doen. Hij zou aan zijn computer zitten, in die wanordelijke, modern ingerichte woonkamer, en druk bezig zijn met het programma dat hij voor Price Waterhouse aan het schrijven was.

Ook zij ging aan het werk. Ze belde Sara en vroeg of ze de agenda wilde brengen.

Hij keek naar Sam, die met twee vingers zat te tikken op de portable schijfmachine die betere dagen had gekend. Zeker van Abe geweest. Hij had hem óp de tafel in de woonkamer gezet, samen met een stapel papier en een woordenboek. Met zijn bril op zijn neus en zijn Beethovenshirt aan zat hij te typen; af en toe hield hij op en krabde aan zijn oor, tikte weer verder, of zocht iets op in het woordenboek. In geen velden of wegen een stickie te bekennen.

Was hij voor de zoveelste keer gestopt? En wat zat hij te schrijven? De ouwe viezerik... Op de dag dat ze verhuisde bij de supermarkt achter haar in de rij gaan staan. Hij hoopte zeker dat de geschiedenis zich zou herhalen...

En in het park! Wanneer? Hoe was dat gegaan? Wat had hij haar nog meer verteld, en wat had zij hem verteld? Kennelijk was het meer dan een beleefdheidspraatje geweest.

Die ochtend na die geschiedenis met Rocky? Toen hij tot tegen twaalven had uitgeslapen en zij, aan haar bureau gezeten, Sara had verteld hoe zalig het in het park was geweest? Het irriteerde hem mateloos dat hij het niet wist...

Hij moest om zichzelf glimlachen. Hij was verwend omdat hij al te veel wist. Was het belangrijk wat ze hadden gezegd en wanneer, en hoe ze elkaar hadden ontmoet? Het deed er niets toe. Geen fluit. Jammer, Sammy, maar je kunt niet alle vrouwen krijgen die je hebben wilt. Wees blij dat je nog leeft. Je hebt er geen idee van dat je reuze boft dat Abe niet naar jóuw begrafenis moet...

Hij zag Beth in Alisons laden rommelen. Ze was niet eens warm. Dr. Palme en Michelle – zoals gewoonlijk. Lisa was bezig met aerobics.

Kay en hij waren ook weer bezig, op haar bed. Zij lag boven en allebei stonden ze op het punt klaar te komen.

Fantastisch was ze, geweldig. Vergeleken met haar was Naomi een kille kikker geweest.

Hij spoelde door en sloeg een gesprek over, waarna hij hen met grote snelheid over het hele bed liet schichten, de kamer uit, terug. Toen keek hij weer hoe ze begonnen waren. Kussen, strelen. Overwoog haar te bellen, maar wilde haar niet lastig vallen. Maar misschien voelde zij het net zo. Of nog intenser. Maar zij was niet aan het repeteren en ze zat ook niet midden in een opname...

Hij zette het geluid af, belde de informatiedienst en vroeg het nummer van Diadem aan.

Toen hij Sara aan de lijn had, zei hij: 'Hallo, met Pete Henderson. Zou ik mevrouw Norris even kunnen spreken? Het is privé.'

'Een ogenblikje, alstublieft.'

Hij keek naar hen terwijl ze verstrengeld lagen, negenenzestig.

'Hoi...'

'Hoi,' zei hij terwijl hij glimlachend naar hen keek. 'Sorry dat ik je stoor, maar ik moest zeker weten dat je echt bestaat...'

Pas een paar dagen later – toen Kay 's morgens de deur uit ging en Vida, in een gebloemde kimono, genoeg roze koffers de hal in zeulde voor een maand in Portugal, zonder daar zo te zien erg veel zin in te hebben – drong het tot haar door (terwijl ze in de lift stond met het blonde stel van de veertiende, de man met het sikje van de twaalfde en het zwart-witte paar van de zevende) dat Pete van alle bewoners wist wat ze deden, hoeveel ze verdienden, hoe oud ze waren en of ze al dan niet getrouwd waren. Bovendien beschikte hij over nog meer informatie uit hun referenties en de gegevens over hun kredietwaardigheid.

Wat was daar nou leuk aan...

Ze begon er die avond over, terwijl ze in Jackson Hole een hamburger met frites aten. Het was een uur of tien.

Pete zat te kauwen en keek haar over het vierkante tafeltje heen aan. Slikte. Nam een slok bier terwijl zij een hap hamburger nam. Hij veegde met zijn servetje zijn lippen af. 'Leuk is het goede woord niet,' zei hij. 'Maar dat ik van ieders omstandigheden enigszins op de hoogte ben, geeft een zekere voldoening. We zijn allemaal nieuwsgierig naar onze buren; dat is een instinctieve verdedigingsreactie uit het primitiefste deel van de hersenen. Net als Felice, die alles moet besnuffelen.' Hij nam een frietje van de schaal die tussen hen in stond.

'In het kleinsteedse Wichita,' merkte Kay op, 'is het een stuk eenvoudiger om dat instinct te bevredigen, dat verzeker ik je. Ik kende iedereen aan Eleanor Lane, compleet met de hele familiegeschiedenis.' Ze knabbelde aan een frietje.

Pete kauwde en slikte. 'Als je vragen hebt,' zei hij, 'zal ik ze graag beantwoorden.'

'Ik dacht al dat je dat nooit zou zeggen,' antwoordde Kay. 'Wat doet Vida Travisano? Die naast mij woont.'

Hij glimlachte. 'Officieel is ze fotomodel,' zei hij. 'Mijn juridisch adviseur houdt het erop dat ze een peperdure call-girl is. Wat denk jij?'

'Of het een of het ander, of allebei,' zei ze. 'Ik had gehoopt dat jij voor me zou beslissen. Waarom heb je haar goedgekeurd? Ik heb geen bezwaar tegen haar, want ze is reuze aardig, maar als je juridisch adviseur er zo over denkt...'

Hij nam een slok bier. 'Ik vind het prettig om vogels van diverse pluimage in het gebouw te hebben,' zei hij. 'Voor zover dat mogelijk is, in deze buurt en met die hoge huur. Ik wil niet alleen yuppies om me heen te hebben, zelfs niet in de lift.'

'Dat klinkt redelijk,' zei ze.

'Aha, maar jij bent dan ook geen jurist,' zei hij. 'En je doet ook niet in onroerend goed. Ik weet zeker dat ik een nagel aan hun doodskist ben.'

Ze glimlachte hem toe. Haalde haar schouders op. 'Als dat zo is,' zei ze, 'is dat hùn probleem.'

Ze verorberden de rest van hun hamburger. Zaten een beetje te knietjevrijen.

'Wat voor lui zijn de Johnsons eigenlijk?' vroeg ze.

'De Johnsons?' herhaalde hij. 'O, 13B. Die zijn er nooit, daardoor was ik ze uit het oog verloren. Ze zijn er bijna nooit, niet meer dan een paar weken per jaar. Het zijn Britten, vijftigers. Hij is jurist, pardon, advocaat, en zij... Ik ben vergeten wat zij uitvoert. Niets. Doet boodschappen. Komt thuis met armen vol pakjes.'

Buiten kwam Giorgio langs met een Duitse herder; ze stond te wachten terwijl de hond aan de paal van het verkeerslicht snuffelde.

Ze glimlachten elkaar toe. 'Wat doet zij?' vroeg Kay.

'Ze heeft een reisbureau,' antwoordde hij. 'Aan Lexington. Ze is alleen.' Hij nam een frietje.

Kay tuurde uit het raam. 'Het is net een man die zich als vrouw heeft verkleed,' merkte ze op.

Glimlachend dipte Pete zijn frietje in de ketchup. 'Zo ziet ze er inderdaad uit,' zei hij. Verorberde het roodgepunte frietje en keek rond of hij de serveerster kon ontdekken.

Kay woonde een lunch bij in de Harvard Club, georganiseerd door vrouwen werkzaam in de uitgeverij. Iedereen zei dat ze er stralend uitzag. Bij de Vertical Club idem dito.

Ze ging met Felice, die een prik moest hebben, naar dr. Monsey in Bank Street. Daarna moest ze nog in de supermarkt en de boekwinkel zijn. Iedereen zei dat ze er fantastisch uitzag.

Ze gingen samen fietsen in het park. Maakten spaghetti met mosselsaus.

Ze gingen met Roxie en Fletcher naar een Cajun-restaurant in So-Ho. Pete sprak – met verstand van zaken – met Roxie over creativiteit en met Fletcher over subsidieregelingen voor medisch onderzoek. Hij vertelde een mop waarover ze in een deuk lagen. Hij en Kay vertelden elkaar wat ze mooi vonden en wat niet, en wisselden tedere blikken.

'Heb ik te veel gezegd?' vroeg Kay op het damestoilet.

'Hoor eens,' zei Roxie, die op haar tenen bij de wasbak stond om haar ogen bij te werken, 'als hij steenrijk is, en ook nog goed in bed, grijp die kans dan!'

'Roxie...'

'Steffi is wel *vijftien* jaar ouder dan Mike en die zijn dolgelukkig samen. Sla je slag!'

Op een avond toen hij bij haar bleef en ze net wilden gaan slapen, kondigde Kay aan dat ze de volgende dag met een agent in The Four Seasons ging lunchen.

'Op mijn tiende verjaardag ben ik daar met Thea Marshall geweest,' vertelde Pete. Ze lagen als lepeltjes in een doosje. Hij omvatte haar borsten, zijn wang rustte tegen haar haren. 'God, voor een kind was het imposant, zo groot... We zaten bij het zwembad. De obers en de chefs omringden ons met alle mogelijke zorg, iedereen keek... Alsof we Maria en het kindje Jezus waren... Komen er tegenwoordig vooral mensen uit het boekenvak?'

'Alleen tijdens de lunch,' zei ze. 'In The Grill Room.'

'Ik dacht dat ik dat ergens had gehoord...'

Felice installeerde zich aan hun voeten op de dekens.

Kay streelde de rug van zijn handen. 'Je noemt haar altijd Thea Marshall,' zei ze. Er ging een schokje door zijn handen. 'Nooit "mijn moeder".'

Hij haalde zijn schouders op. 'Zo noem ik haar in gedachten,' zei hij. 'Vroeger ook al. Zo wilde ze ook beschouwd worden – als actrice, niet als moeder van een zoon. Ze heeft mij alleen gekregen omdat mijn vader haar dwong. En het ironische is dat ze altijd de rol speelde van zo'n piepjong, voorbeeldig moedertje. In *Search for Tomorrow*. En uiterst geloofwaardig. Dag na dag, een werkelijk fantastische prestatie. Ik ging met de taxi van school naar huis om ernaar te kunnen kijken. In die tijd bestond er nog geen video.'

Kay trok zijn handen dichter tegen zich aan, kuste ze. 'Je weet toch wel, lieveling, dat je voor mij niets verborgen hoeft te houden...'

Hij lag doodstil tegen haar rug. 'Wat bedoel je?'

Ze draaide zich om in zijn armen en omhelsde hem. In het bijnaduister staarde hij haar aan. Ze kuste hem op het puntje van zijn neus. 'Hou je niet iets voor me verborgen, schat?' vroeg ze.

Hij keek haar strak aan.

'Het is geen schande om er behoefte aan te hebben,' zei ze. 'Ik ben er een groot voorstander van.'

'Waar heb je het over?' vroeg hij zonder zijn blik van haar af te wenden.

'Dr. Palme...' zei ze.

Hij slikte. 'Dr. Palme?'

Ze knikte.

'Denk je... dat ik... patiënt bij hem ben?'

'Is dat dan niet zo?' vroeg ze.

Hij keek haar aan en schudde zijn hoofd. 'Nee,' zei hij. 'Ik ben geen patiënt bij hem. Nooit geweest. Ook niet bij een andere psychiater. Hoe kom je daarbij? Omdat ik zei dat ik hem had horen zeggen...?'

Ze knikte. 'Het leek me zo... onwaarschijnlijk,' zei ze. 'Dat hij in de lift over het Oedipuscomplex stond te praten, en dat jij dat net opving.'

Hij glimlachte en ademde langzaam uit. 'Maar toch is het zo gegaan,' zei hij. Zijn glimlach verbreedde zich. 'Dat was nu wat je noemt stom toeval.'

Ze knuffelde hem, duwde haar gezicht tegen zijn schouder en begon te giechelen. 'O god, lieveling, neem me niet kwalijk,' zei ze. 'Je moet me geloven, verder was er niets! Dat was alles. Lieve hemel, dit is een goede les voor me. Ik was ervan overtuigd...'

Ze kusten en omhelsden elkaar. Felice sprong van het bed af.

Lachend trok hij haar naar zich toe. Haalde eens diep adem en zuchtte tegen haar schouder. 'Allemachtig,' zei hij. 'Ik had geen idee waar je het over had!'

Ze maakten een rondrit door Manhattan.

Ze knipte zijn haar.

Hij gaf haar iets van Tiffany, verpakt in papier dat de kleur blauw van zijn ogen had: een opengewerkt gouden hartje aan een ketting, groot formaat.

Zij gaf hem tweeënhalve kilo eerste kwaliteit wine-gums, in alle kleuren van de regenboog.

Sam belde. 'Hoe gaat het met je?'

'Prima,' zei ze. 'En met jou?'

'Goed. Ik ben een poosje in Arizona geweest. Mijn broer is overleden.'

'O, wat naar voor je...'

'Ach ja, wat doe je eraan... Wat vreselijk van die vriend van je, Sheer. Ik begin te geloven dat er werkelijk een vloek op dit gebouw rust.'

'Welnee,' zei ze.

'Hoor eens, ik heb daarginds ernstig nagedacht over wat je zei. Over die memoires. Ik heb besloten het te proberen. Een lach en een traan, waarom zou ik terughoudend zijn?'

'Maar dat is geweldig nieuws, Sam,' zei ze. 'Dat doet me plezier. Ik weet zeker dat je het kunt.'

'Dank je, dat hoop ik ook. Ik heb al iets op papier staan. Een soort eerste hoofdstuk. Wil je het lezen?'

Ze haalde eens diep adem. 'Ik geloof niet dat ik de aangewezen persoon ben,' zei ze. 'Ik doe zelden non-fiction. Stuur het maar naar mij. Als je het afgeeft in de postkamer, zal ik zorgen dat het bij een redacteur terechtkomt die affiniteit met het onderwerp heeft en die je een gedegen, objectief oordeel kan geven.'

'Prima... Bedankt. Dat is goed. Ik stel het zeer op prijs. Het typewerk lijkt nergens op.'

'Zolang je het maar met dubbele regelafstand tikt en de tekst leesbaar is.'

Ze vertelde het aan Pete toen hij die avond bovenkwam. Hij was laat, doordat hij bij de ontwikkeling van zijn computerprogramma op een probleem was gestuit.

'Interessant,' zei hij terwijl hij op de rand van het bed ging zitten waar zij weer in was gekropen. 'Misschien kom ik er dan eindelijk achter hoe het zat tussen hem en Thea Marshall.'

Ze keek toe terwijl hij een van zijn gympjes losmaakte en met Felice om de veter vocht. 'Ik kreeg de indruk dat er inderdaad iets tussen hen heeft bestaan, maar dat het eerder een haatliefdeverhouding was. Hij zou wel eens onaardige dingen over haar kunnen zeggen.'

Hij haalde zijn schouders op en keek haar van opzij aan. 'Laat je het daarom door iemand anders doen?' vroeg hij.

'Nee,' antwoordde ze. 'Je weet toch dat ik haast nooit non-fiction doe.'

Hij trok het gympje van zijn voet. 'Het was immers jouw idee,' zei hij. 'Ik had gedacht dat jij er dan ook aan zou willen werken.'

Ze legde het manuscript dat ze had liggen lezen terug in de doos. 'Lieve hemel,' zei ze hoofdschuddend. 'Ja, als wat hij heeft geschreven ook maar enigszins leesbaar is, zou ik het graag zelf doen. Maar ik zou het niet prettig vinden om met hem samen te werken nu ik het weet van jou en die stichting, maar hij niet. In zo'n relatie moet je heel eerlijk en openhartig kunnen zijn, vooral als het om een schrijver gaat die je aan het handje moet nemen om hem van het ene naar het andere hoofdstuk te loodsen. Als ik op mijn woorden moet passen, ga ik krampachtig doen.' Ze deed het deksel op de doos. 'En ja,' vervolgde ze, 'er zouden problemen ontstaan als hij dingen vermeldt die jou volgens mij verdriet zouden doen...' Ze zette de doos op de stapel andere manuscripten, onder op het tafeltje.

Toen ze zich oprichtte, zat hij haar aan te kijken.

Ze glimlachte hem toe en streek over zijn wang. 'Het is niet belangrijk, liefje,' zei ze. 'Echt niet. Als jij hem hier niet heen had gehaald, had ik hem niet eens gekend. Nee toch?'

Pete knikte.

Kay glimlachte. 'Treuzel dan niet langer en kleed je uit,' zei ze.

Hij glimlachte haar toe en bukte zich naar zijn andere gympje.

Sam had een envelop afgegeven in de postkamer. Twaalf dubbelgevouwen velletjes. Slecht getypt, maar bruikbaar materiaal. New York in het begin van de jaren dertig. Sam van acht en Abe van twaalf – Yellen, geen Yale – werden door oom Maurice, die acteur was, uit de Bronx weggeplukt en op het toneel gepoot in *Waiting for Lefty*, geproduceerd door het Group Theatre.

Had wel iets van E.L. Doctorow...

Kay gaf het manuscript door aan Stewart.

Het enige dat hij niet had voorzien, was dat hij verliefd op haar zou worden.

Hij verbaasde zich over zijn gebrek aan inzicht, want ze was immers geweldig: hartelijk, intelligent, eerlijk, geestig en sexy – en ze leek sprekend op Thea Marshall. Vrijwel vanaf de dag dat ze hier introk, had hij dat allemaal geweten – natuurlijk nog niet zo goed als hij het nu wist –, maar toch was de gedachte dat hij verliefd op haar zou kunnen worden niet bij hem opgekomen.

Maar het was nu eenmaal zo. En dat bedierf alles.

Hij bestudeerde haar. Ze zat op de bank, met haar bril op haar neus en haar voeten op de lage tafel, het zoveelste manuscript te lezen dat het volgens een agent 'helemaal was'. Eigentijdse conflicten op seksueel gebied.

Kon hij haar maar vertellen over Phil en Lesley en Mark, Vida, de Fishers, de Hoffmans. Over alles wat zich in het gebouw afspeelde, niet alleen over de conflicten op seksueel gebied. Ze had helemaal gelijk gehad: het was vervelend om op je woorden te moeten passen en geheimen te hebben die je niet kon delen. Vervelend? Schrap dat maar en maak er strontvervelend van, Kay.

En als Naomi, die niet half zo scherpzinnig was als zij, het al had ontdekt, zou zij er dan vroeg of laat niet achter komen, hoe voorzichtig hij ook was? Het zat er dik in dat hij zich op een keer zou verspreken zonder dat hij een plausibele verklaring had. En wat moest hij dan in godsnaam beginnen?

Ze wendde zich naar hem toe en keek hem over haar bril heen aan. 'Wat is er?' vroeg ze.

'Niets,' zei hij glimlachend. 'Ik zat gewoon naar je te kijken. Ik gunde mijn ogen even rust.'

Glimlachend antwoordde ze: 'Als je het niet mooi vindt, hoef je het niet uit te lezen. Ik zal het me niet persoonlijk aantrekken.'

'Nee, ik vind het mooi,' zei hij terwijl hij het opengeslagen boek omhooghield. 'Die scène op het schip is heel boeiend.'

Ze glimlachten elkaar toe.

Kay begon zachtjes te lachen en knikte in de richting van de deur. 'Ga toch naar beneden om aan je programma te werken. Ik wil ook best even alleen zijn.'

Pete sloeg het boek dicht met de flap van het omslag op de plek waar hij was gebleven. 'Ik neem het mee,' zei hij en boog zich over haar heen. Kay zette haar bril af. Hij kuste haar. 'Ik hou van je,' zei hij.

Kay beantwoordde zijn kus, streelde zijn wang en keek naar hem op.

Ze kusten elkaar. Hij stond op en liep om de bank heen naar de gang. 'Welterusten, Felice!' riep hij. 'Al weet ik niet waar je zit!'

Ze keek naar hem en zei: 'Wacht nog even...' Ze legde het manuscript weg en stond op.

Bij de voordeur wachtte hij op haar.

Ze kwam voor hem staan en keek hem recht aan. 'Een van onze redactrices, Wendy Wechsler...' zei ze. 'Ik geloof dat ik haar naam wel eens heb genoemd...'

Hij knikte.

'Zij organiseert met Thanksgiving een diner voor transplantatiepatiënten die nog niet naar huis mogen,' vertelde ze. 'Heb je zin om met me mee te gaan? Ik weet dat het een beetje kort dag is, maar... Ik heb mijn mond voorbijgepraat over ons. Snap je...'

Hij wendde zijn blik af en haalde eens diep adem. Hij klemde het boek onder zijn arm en pakte haar bij de schouders. 'Ik zou graag willen, Kay,' zei hij, 'en ik stel het op prijs dat je me uitnodigt. Echt waar. Maar ik heb een neef en nicht in Pittsburgh beloofd dat ik zou komen. Ik heb ze al een paar keer afgepoeierd, maar nu ik eindelijk ja heb gezegd, kan ik niet terugkrabbelen.'

'Dat begrijp ik,' zei Kay.

'Het spijt me,' zei hij.

'Het geeft niet,' zei ze. 'Ik had het niet zo lang moeten uitstellen.'
Ze kusten en omhelsden elkaar.

Hij keek haar aan. 'Zullen we...?'

'Nee, ga nou maar,' zei ze. 'We moeten niet aldoor op elkaars lip zitten. Toe. Morgen praten we verder.'
Ze kusten elkaar.

Hij deed de deur open en liep de hal in.

Ze keek hem na terwijl hij de deur naar het trappenhuis openmaakte en de overloop op stapte. Terwijl de deur dichtviel, wuifde hij naar haar door het paneel van draadglas.

Ze deed de deur van de flat dicht en schoof de grendel erop. Slaakte een zucht. Bukte zich en pakte Felice op. Ze hield haar voor zich omhoog, zodat ze haar aan kon kijken. 'Neef en nicht?' vroeg ze.

'Heb ik iets miszegd?'

'Nee.'

'Heb ik iets misdaan?'

'Néé,' zei hij. 'Het ligt aan mij, niet aan jou. Heus waar.' Hij deed zijn ogen dicht.

Ze kuste hem op zijn lippen en streek met haar handen zijn haar glad. 'Is er iets met je werk?' vroeg ze.

'Nee,' antwoordde hij. 'Ja. Néé.'

'Ik ben wat computers betreft niet helemaal leek, hoor...'

'Schatje, hou alsjeblieft je mond. Kunnen we even zwijgen, ja? Ssst. Laten we doen alsof we doofstom zijn.'
Ze kuste zijn lippen, zijn oogleden. Sloot haar ogen.

Hij bewoog in haar en werd harder.

Kay sloot een contract af met een schrijver en kocht een nieuw mantelpakje.

Pete belde niet. Ze besloot deze keer een afwachtende houding aan te nemen.

Ze bracht haar conditie op peil in de sportschool, deed haar zegje op een redactievergadering. Ging naar een feest. Kwam thuis en zette het antwoordapparaat aan. Hij had niet gebeld.

Ze bakte twee pompoentaarten. Felice keek toe.

Op de ochtend van Thanksgiving belde ze haar ouders op. Bob en Cass waren er, en oom Ted, en iedereen was vrolijk behalve de baby, die ze op de achtergrond hoorde huilen. Een goed gesprek. Geen geharrewar, geen vragen over mannen. Ze verheugden zich op haar bezoek met Kerstmis. Zij ook.

De kalkoen was aan de droge kant, maar de bijgerechten waren uitstekend; de tafel was langer dan vorig jaar. Bekende gezichten, nieuwe gezichten. Kay zag hem in gedachten voor zich aan een ongezellige tafel in een villa in Pittsburgh, of – dat wenste ze hem toe – alleen voor zijn computer met een diepvriesmaaltijd. Hij kon naar de maan lopen. Wendy's beminnelijke orthopeed probeerde haar te versieren, maar *oud* had hoe dan ook voor haar afgedaan. De pompoentaarten vonden gretig aftrek. Ze ging naar huis en controleerde het antwoordapparaat. Hij had niet gebeld.

Vrijdag was saai, maar bracht een verrassing. Een grijze hemel, sneeuwvlokjes. Ze betaalde rekeningen, ruimde een beetje op en verschoonde het bed. Pakte de telescoop en keek naar meeuwen op het Reservoir en joggers op de met gaas afgezette sintelbaan. Twee vrouwen van middelbare leeftijd, allebei in een blauw trainingspak, stonden naast de baan; de een maakte een machteloos handgebaar, de andere schudde met haar wijsvinger. Jammer dat ze niet kon liplezen. Felice, op de vensterbank, schurkte zich tegen haar knie.

Ze probeerde te werken; een veel te gedetailleerde biografie van Dorothy Parker moest worden ingekort. Ze schoot geen steek op. Wat was hij aan het doen?

Ze installeerde zich op de bank en keek naar soaps. *One Life to Live* en *General Hospital*. Ze hoopte dat de actrices – sommigen waren lang niet slecht – genoeg kwalitatief hoogwaardige tijd en aandacht aan hun kinderen besteedden. Roxie belde; voor de verandering hield Kay haar mond en luisterde. Ze zei dat het prima ging, alles bij het oude. Druk.

Ze keek naar *Now, Voyager*, met een slapende Felice op schoot. Ze at een bakje yoghurt, ging in het bad.

Zaterdag had ze haar draai weer gevonden. Ze zette de televisie terug in zijn hoekje, ruimde verder op, deed boodschappen en ging aan haar bureau zitten. Drie weken geleden was het allemaal begonnen. Met haar duim wreef ze over het opengewerkte gouden hartje en ging aan de slag. Ze kwam goed op dreef en zwoegde voort. Een keurig getypt manuscript, god zij dank.

De telefoon begon te rinkelen toen ze een niet-volgetypte pagina aan het eind van een hoofdstuk af had. De klok stond op 16:54. Ze keek naar de rinkelende telefoon. Nam de hoorn op. 'Hallo?'
'Hoi.'
Ze zette haar bril af. 'Hoi,' zei ze.
'Hoe was Thanksgiving?'
'Ik ben kilo's aangekomen,' zei ze. 'Leuk. En hoe heb jij het gehad?'
'Ik heb Thanksgiving niet gevierd. Ik heb gelogen. Ik was bang dat we te veel aan elkaar gehecht raakten. Nu heb ik spijt.'
Ze draaide de stoel om. 'Ik ook,' zei ze.
'Ik hou van je, Kay.'
'O Petey.' Ze deed haar ogen dicht en haalde diep adem. 'Ik hou ook van jou, schat. Heel veel...'
'O liefje... God, wat heb ik je gemist. We moeten eens praten, maar het is te zwaarwichtig voor door de telefoon. Klinkt dat je bekend in de oren?'
Glimlachend antwoordde ze: 'Twee wodka-tonic, en je komt eraan.'
'Nee. Deze keer hier beneden. Vind je dat erg?'
'Vreselijk,' zei ze. 'Nu meteen?'
'Als je zover bent.'
'Een kwartiertje.'
'Je zult niet weten wat je ziet. Ik heb grote schoonmaak voor je gehouden.'

7

Nu hij zover was dat hij erover wilde praten konden ze het probleem – wat het ook was – aanpakken. Waarschijnlijk was het dat
verdomde leeftijdsverschil.
Kay ging onder de douche en zorgde dat ze er op haar voordeligst
en als hooguit vijfendertig uitzag. Ze trok een witte broek aan, lage
schoenen en haar perzikkleurige trui, en deed de hanger met het
hartje om. Florence Leary Winthrop belde; ze bruiste van de nieuwe ideeën en had een klankbord nodig. Het kostte Kay vijf minuten
om het gesprek naar maandagochtend vroeg te verschuiven. Ze
schakelde het antwoordapparaat in en pakte haar sleutels. Zette
knabbels en water neer en zei 'tot straks' tegen Felice.
De liften stonden op de vijftiende en zesde verdieping; ze waren
beide op weg naar beneden. Kay huppelde de zigzaggende trappen
af, die bij de genummerde verdiepingen verlicht werden door t.l.-
balken; haar voetstappen echoden tot diep in de grauwe, betonnen
schacht. Ze hoopte maar dat het inderdaad het leeftijdsverschil
was, niet MS of kanker of zoiets, in dit ongeluksgebouw...
Op de dertiende verdieping liep ze de hal in.
Pete was in de keuken bezig, gekleed in een geruit overhemd en
spijkerbroek. De deur van de flat stond wijd open, de Beatles zon-
gen *Hey Jude*. Hij draaide zich om en glimlachte zijn overrompelende glimlach. 'Twee wodka-tonic,' zei hij terwijl hij zijn handen
afdroogde aan een doek die aan een haakje hing. 'Het spijt me, juf-
frouw, maar kunt u zich identificeren?'
Tijdens de rest van *Hey Jude*, een aankondiging door de d.j. en de
helft van *Eleanor Rigby* kusten ze elkaar.
Kay streek met haar vingers door haar haren en liep de woonkamer
in. De zonwering was neergelaten, spotjes aan buizen van chroom
wierpen hun schijnsel tegen het plafond, dat in de plafonnière
weerkaatste. Het vertrek, waar beige vloerbedekking lag, zag er

een beetje steriel uit nu de rondslingerende kleren en rommel opgeruimd waren. Maar de indeling was goed. De beige leren bank
stond bijna in het midden, tegenover de t.v. en de stereotoren links,
en het bureau en de computer rechts. Bij de doorgang naar de keuken stond een tafel met stoelen. Alles was in verschillende nuances
beige met wit en chroom gehouden, behalve een paar gele en oranje
losse kussens, de knipperende rode lampjes van de stereo en de
zwarte t.v.

'Geweldig,' zei ze. 'Je hebt gelijk. Ik kan mijn ogen nauwelijks geloven.'

'Ik heb een heleboel weggegooid,' zei hij terwijl hij met twee glazen
waarin de ijsblokjes tinkelden naar de bank liep. 'Opeens ontdekte
ik dat ik ook nog glazen had.'

Ze keek in de lage boekenkast bij het bureau: technische boeken en
naslagwerken, sommige in omslagen van Carnegie-Mellon. *The
Worm in the Apple* stond er ook tussen.

De Beatles zwegen toen hij de stereo uitzette.

Glimlachend ging ze naar hem toe.

Knie aan knie, en hand in hand, zaten ze op de zachtleren bank. Ze
klonken. Terwijl hun ogen elkaar toelachten, namen ze een slokje,
waarna ze hun glas op een kubus van perspex neerzetten.

Hij nam haar handen in de zijne en keek haar in haar ogen. 'In de
allereerste plaats,' zei hij, 'hou ik van je.' Hij boog zich naar haar
toe en kuste haar op haar lippen. 'Daarom vertel ik je dit. Vergeet
dat alsjeblieft niet. Je zult boos worden, heel erg boos. Dat verzeker ik je. Bedenk dus dat ik het je vertel omdat ik van je hou. Je
hebt een keer gezegd dat ik je alles kon vertellen. Nu houd ik je aan
je woord.'

'Als je een vrouw en kinderen hebt,' zei ze, 'sla ik je tot moes. Ik
meen het.'

'Nee, nee,' zei hij hoofdschuddend. 'Nee...' Hij haalde diep adem
en sloeg zijn ogen neer.

Ze bestudeerde hem.

'In de tweede plaats,' vervolgde hij, 'heb ik je een reeks leugens op-
gedist.' Hij hief zijn hoofd op en keek haar aan. 'Eigenlijk niets
dan leugens.'

Ze zei: 'Bijvoorbeeld...'

Hij haalde diep adem. 'Ik ben geen computerprogrammeur,' zei
hij. 'Niet van beroep, bedoel ik. Ik kan programma's schrijven en
die spelletjes heb ik gemaakt toen ik nog op school zat, maar dat ik

94

free-lancer ben en voor Price Waterhouse en ABC werk, is niet waar.'

'Je bent geen eigenaar van het gebouw,' zei ze.

'Ja, dat ben ik wel,' antwoordde hij. 'Dat was de waarheid, net als alles wat ik vertelde over mijn ouders, en het geld... Kay, luister...' Zijn blauwe ogen fonkelden, zijn handen omklemden de hare nog steviger. 'Stel dat ik je vertelde dat ik in drugs handelde. Dat is niet zo, maar stel dat ik je dat vertelde. Wat zou je dan zeggen? Eerlijk antwoord geven!'

Ze keek hem strak aan.

'Wat zou je dan zeggen?' vroeg hij. 'Het gaat alleen om "als". Eerlijk waar.'

Ze antwoordde: 'Dan zou ik zeggen: "Kap er nu meteen mee. Het is verkeerd, het is misdadig, het is waanzinnig. Wees blij dat je nog niet gepakt bent."'

'En stel dat ik er een punt achter zette. Wat dan?'

'Hoezo: wat dan?'

'Wat zou je doen als ik ermee ophield?' wilde hij weten.

Ze haalde eens diep adem. 'Ik zou je helpen met het zoeken van eerlijk werk,' zei ze. 'Ik zou proberen het te begrijpen en ik zou proberen jou tot het inzicht te brengen waarom je zoiets stoms en riskants hebt gedaan. En ik zou je helpen om te voorkomen dat je opnieuw begon.'

'Zou je me aan de kant zetten?' vroeg hij.

'Natuurlijk niet,' zei ze. 'Doe niet zo gek. Ik hou van je, dat weet je toch?'

Hij knikte. Boog zich voorover en kuste haar op haar mond.

Ze trok zich terug en maakte haar handen los. 'Pete, lieveling, wil je alsjeblieft ter zake komen?' zei ze. 'Ik heb geen idee wat me boven het hoofd hangt.'

'Daar gaan we dan,' zei hij.

Hij pakte de afstandsbediening en drukte een paar knopjes in om de televisie en de video die ernaast stond in te schakelen.

'Je laat me zien wat je wilt vertellen?' vroeg ze.

'Precies,' antwoordde hij.

Het t.v.-scherm lichtte op: een golfbal rolde over groen gras en belandde in de hole. Applaus klaterde op. Het scherm werd zwart, waarna er op de video een rood lampje begon te branden.

Ze pakte haar glas en zei: 'Ik wou dat je...' Er verscheen een woonkamer, in zwart-wit, van boven gezien. Een man liep kranten bij elkaar te zoeken; ze ritselden, borden kletterden.

Kay zette haar glas weer neer. En keek.

Dat was Pete. In deze kamer. Hij pakte lege glazen van de perspex kubussen. Keek omhoog en glimlachte haar toe. 'Hoi, Kay,' zei hij. Tuitte zijn lippen in een kus.

Ze wendde zich naar hem toe. Zijn blauwe ogen sloegen haar gade. 'Hoi, Kay,' zei hij. Tuitte zijn lippen in een kus.

Ze draaide zich terug en keek omhoog naar de art-decoplafonnière met het knopje van chroom in het midden.

Keek weer naar hem. 'Ik snap het nog niet,' zei ze.

'Er zit een camera tussen de verdiepingen,' zei hij, waarna hij de afstandsbediening op de t.v. richtte en hem uitzette. 'En er loopt een glasvezelkabel door de elektrische leiding.'

Ze keek hem met half dichtgeknepen ogen aan. 'Waarom?' vroeg ze. 'Werk je voor de CIA? Of voor de FBI?'

'Nee,' antwoordde hij, 'maar die gebruiken zulke apparatuur wel. Takai, uit Japan, het beste merk ter wereld. Een voormalige kolonel van de CIA heeft me geholpen met de installatie van het systeem. Hij heeft me alles geleverd...'

Ze keek hem aan. 'Het systeem?'

Hij knikte. 'Inderdaad, Kay,' zei hij. 'Het is een heel systeem. In àlle lampen zit een camera. Ook in die van jou.'

Ze keek hem aan.

'Ik bekijk je al sinds de dag dat je hier kwam wonen,' zei hij. 'En ik luister je af. Ook je telefoongesprekken. Daardoor kon ik zo "opmerkzaam en attent" zijn en je "zo goed aanvoelen".'

Ze staarde hem aan.

'Ik voorspelde al dat je boos zou worden,' zei hij. 'Ik heb je privacy geschonden en in zekere zin is het bijna alsof ik je heb verkracht. Maar als ik dat niet had gedaan, hadden we hier dan gezeten? Hadden we het dan zo heerlijk gehad samen? En eigenlijk ken ik je immers al heel goed, beter dan wie ook? Ook al ben ik op een verboden manier aan sommige gegevens gekomen?'

Ze staarde hem aan.

'Ik was van plan onze relatie te laten doodbloeden,' zei hij, 'maar dat kan ik niet. Onze verhouding betekent te veel voor me. Ik hou te veel van je. Dat ik steeds moet liegen bederft het, want ik kan niet alles met je delen...' Hij haalde glimlachend zijn schouders op. 'Nu ligt mijn lot dus in jouw handen, want je kunt me verraden en me in grote moeilijkheden brengen.'

Ze staarde hem aan. Wendde haar blik af. Keek naar haar glas. Pakte het op. Haar hand trilde. Ze nam een slokje. Het ijs in het glas tinkelde.

Hij sloeg haar gade en legde de afstandsbediening neer.

Ze slikte. Zette het glas neer. Keek hem aan. 'Je begluurt alle bewoners?'

Hij knikte.

'Net zoals je vroeger naar je moeder keek?' zei Kay. 'Zonder echt menselijk contact?'

Met een lichte blos knikte hij. Glimlachte. 'God, dat heb je snel door,' zei hij. 'Daar heb ik jaren voor nodig gehad. Inderdaad, zo is het begonnen, maar nu is het iets heel anders, het gaat veel verder.'

Kay schudde haar hoofd. 'Ik begrijp het niet...' Ze keek naar het grijze t.v.-scherm. 'Hoe doe je dat dan?' Ze maakte een hulpeloos handgebaar.

Pete stond op. 'Kom maar mee, dan zal ik het je laten zien,' zei hij. 'Hiernaast.' Hij bukte zich, pakte zijn glas en nam een slok.

'Hiernaast?'

Hij zette het glas neer en veegde met de rug van zijn hand langs zijn mond. 'Dertien B is ook van mij,' antwoordde hij. 'De Johnsons vallen ook onder de leugens.' Hij wachtte bij de deur op haar.

Ze keek hem aan. Stond op en legde haar hand op de rugleuning van de bank. Liep met hem mee de flat uit, naar de andere kant van de hal.

Hij deed de deur van 13B van het slot en hield hem voor haar open. 'Als je het daarginds al rommelig vond,' zei hij, 'had je eens moeten zien hoe het er hier eerst uitzag.'

De keuken was gewoon de keuken, vaag verlicht door de lamp in de hal en een groen schijnsel dat via de doorloop zichtbaar was.

De gang was lichtgroen. In de woonkamer hing een lamp met een groene kap bij een kolossaal, wandbreed zeemonster, geheel overdekt met grijsgroene schubben, uitgestrekt op een golvende beige ondergrond.

Monitors, in rijen boven elkaar, een gebogen wand vol, twee grote schermen in het midden. Meer dan honderd donkere schermen, elk met een groene schittering die zijwaarts bewoog naarmate zij dichterbij kwam; het licht werd feller.

Hij stond achter haar en speelde met de dimmer.

Rijen knoppen en schakelaars op het gebogen beige bedieningspaneel. Een zwarte stoel met verstelbare rugleuning stond ervoor.
Op een paar passen afstand bleef ze staan en keek naar de zes rijen schermen en de verlichte cijfertjes bovenaan: 4A, 5A, 6A... en in het midden: 6B, 7B, 8B...
Hij liep naar de linkerkant van het bedieningspaneel, draaide zich om en steunde met een hand op de gebogen rand. Hij sloeg haar gade. 'Drie voor elk appartement,' zei hij, 'behalve hier. Ook de bewakingscamera's van de hal op de begane grond, van de liften, enzovoorts. Alles bij elkaar honderddertig stuks. Als ik dat wil, kan ik het beeld van een monitor naar zo'n groot scherm overschakelen. De vertekening wordt elektronisch gecompenseerd; wat overblijft merk ik niet meer. Je ogen passen zich snel aan.'
Ze draaide haar hoofd naar hem toe en keek hem aan. 'Drie?' vroeg ze.
Hij knikte. 'Dat zei ik toch: in alle lampen zit er één.'
Ze staarde hem aan.
'Ik weet dat het achterbaks en voyeuristisch is,' zei hij. 'Ik was tien of elf toen het idee bij me opkwam. Het was iets waar ik alleen maar over fantaseerde. Toen ik dit gebouw echter zag verrijzen, en begreep dat ik mijn plan daadwerkelijk zou kunnen uitvoeren, heb ik geen moment overwogen om de badkamers niet te doen.' Hij glimlachte. 'In het oorspronkelijke plan speelden die een grote rol. Daar worden veel interessante gesprekken gevoerd.'
Ze keek hem aan en haalde diep adem. 'Het moet je toch duidelijk zijn,' zei ze, 'dat dit de... de monsterlijkste, grofste schending van privacy is waaraan je je schuldig hebt kunnen maken! Niet alleen tegenover mij...' Ze sloeg haar armen om zichzelf heen en boog zich naar hem toe. 'Hoewel... Godallemachtig, je zegt dat je van me houdt, maar al die tijd... Mijn god, ik kan niet eens...'
'Ik hou echt van je,' zei hij en deed een stap in haar richting.
'Bij iedereen!' riep ze uit. 'Hoe kun je dit de mensen aandoen? Het is stuitend!' Ze keek naar de monitors. 'Mijn god...'
'Ze wéten het toch niet,' zei hij.
'Dat doet er niet toe!' riep ze uit.
'Jawel,' zei hij, dicht bij haar nu. 'Heb je er last van gehad dat ik je bekeek?'
'Nú heb ik er last van!'
'Omdat je het nu weet! Hoor eens...' Hij pakte haar bij haar schouders. 'Laten we er geen ruzie over maken. Ik wist van tevoren

dat je er zo over zou denken. Ik hou ermee op.' Hij hield haar vast en keek haar indringend aan. 'Als ik moet kiezen tussen dit en jou,' zei hij, 'kies ik voor jou. Ik kap ermee. Afgelopen. Ik kijk nooit meer.'

Ze keken elkaar aan.

'Dat is je geraden ook,' zei ze. 'Je hebt hiermee minstens tien wetten overtreden. En als de andere huurders erachter komen, procederen ze tegen je tot je geen cent meer hebt, al ben je nu nog zo rijk.'

'Dat bedoelde ik toen ik zei dat jij me in grote moeilijkheden kunt brengen,' zei hij met een zucht. 'Het spijt me dat ik je heb gekwetst. Ik heb je nooit iets zien doen dat niet goed was, en ik heb je nooit iets doms horen zeggen.'

'Heb je Hubert Sheer zien vallen?' vroeg ze.

'Nee,' antwoordde hij. 'En na zijn val heb ik hem ook niet gezien. Je kunt niet in de douchecabine kijken, want de beeldhoek is niet goed. De deur spiegelt en al dat zwart maakt het er niet beter op. Kijk maar.' Hij liet haar los, draaide zich om en boog zich over de stoelleuning.

'Nee,' zei ze.

Met zijn hand boven de knoppen keek hij naar haar om. 'Mijn badkamer,' zei hij, 'niet die van hem.'

'Ik geloof je zo ook wel,' zei ze.

Hij richtte zich op en keek haar recht aan. 'Ik heb maar een heel enkele keer naar hem gekeken,' zei hij, terwijl de groene schijnsels op de schermen flakkerden. 'Hij zat meestal te lezen. Ik dacht dat hij op reis was gegaan, want daar had ik hem over gehoord, en dat hij vergeten was het licht uit te doen. Zulke dingen gebeuren.' Hij haalde diep adem. 'Het enige sterfgeval dat ik heb gezien,' zei hij, 'was Billy Webber, die een overdosis had genomen. Er waren twee meisjes bij hem, daarom zat ik te kijken. Zodra hij stuiptrekkingen kreeg, hebben zij een ambulance gebeld. Toen Brendan Connahay en Naomi Singer overleden, was ik niet thuis, en op de plek waar Rafael, die voor Dmitri conciërge was, dat ongeluk overkwam, is geen camera.'

'Kijk je ook naar Sam?' wilde ze weten.

'Ja,' antwoordde hij. 'Hij weet van niets. Hoor eens, ik heb er toevallig ook veel goeds mee kunnen doen, niet alleen voor hem. Ik help mensen uit de brand, financieel, maar ook op andere manieren, soms via de stichting, soms gewoon door geld te sturen. Ook familieleden van de bewoners. Een nichtje van Maggie Hoffman had een levertransplantatie nodig, in Shreveport. Haar moeder is een geweldig flinke vrouw; ze staat er helemaal alleen voor en heeft geen rooie cent. Ik heb haar het geld gestuurd. Vorige week. De Kestenbaums, die in jouw flat zaten, heb ik ook geholpen.'

Ze schudde haar hoofd. 'Het is verkeerd,' zei ze. Keek hem aan. 'Het is verkeerd.'

'Ik hou er toch ook mee op,' zei hij. Hij legde zijn handen om haar middel en keek haar glimlachend aan. 'Mammie zegt nee en ik ben een gehoorzaam jongetje, goed?' Hij kuste haar op haar wang. 'Ik kan de boel niet zomaar bij het grofvuil zetten,' zei hij, 'want het zou niet meevallen om uit te leggen waar al dat spul vandaan komt, maar we zullen een slotenmaker laten komen. Die zet een ander slot op de deur en jij mag de sleutels bewaren. Achter in de flat is nog een toegangsdeur, via de kastenwand. Dat vertel ik als teken van goed vertrouwen, want die deur zou je zelf nooit ontdekt hebben. Daar kun je een combinatieslot op zetten. En dat was dan dat. Ik ga weer programmeren, of misschien maak ik mijn studie wel af.'

Ze keek hem aan.

'Is het erger dan handel in drugs?' vroeg hij.

'Meen je het werkelijk?' vroeg ze.

'Van die sloten? Ja,' antwoordde hij. 'Ik zei toch al: ik kies voor jou.'

Ze keken elkaar aan. Omhelsden en kusten elkaar.

Ze trok hem dicht tegen zich aan, waarna ze zuchtend haar hoofd schudde en over zijn schouder naar de monitors keek. 'Dr. Palme ook?' vroeg ze.

'Ja,' zei hij. 'Dat bedoelde ik. De ene leugen lokt de andere uit.'

'Jezusmina...' Ze keek naar de groenige schermen. 'Dieper kun je niet zinken,' zei ze. 'Mensen begluren die in therapie zijn...'

'Ze merken het toch niet?' zei hij.

Ze keek naar de schermen. Boog zich een beetje achterover en keek hem indringend aan. 'En dit doe je al drie jaar?'

'Je hebt nog nooit zoiets fascinerends gezien, Kay,' zei hij. 'Dramatisch, geestig, hartverscheurend, sexy, spannend, leerzaam...'

Ze legde haar hand tegen zijn wang en schudde haar hoofd. '*Soap*-programma's, uit het leven gegrepen,' zei ze.

'Nee, het is het leven zelf,' zei hij. 'Het echte leven, de *soap* waar God naar kijkt. Een klein stukje ervan. Geen actrices, geen acteurs, geen regisseurs. Geen tekstschrijvers of redacteuren. Geen

reclame ertussendoor. En het is allemaal waar gebeurd, het is niet een van de vele versies van de waarheid, zoals in de boeken die jij leest.'
Ze maakte zich van hem los. 'Rotzak die je bent,' zei ze. 'Je probeert me over te halen...'
'Kijk er maar eens een uurtje naar,' zei hij terwijl hij zijn armen naar haar uitstak. Ze duwde zijn handen weg en liep naar de gang.
'Morgen bel je de slotenmaker,' zei ze.
'Morgen al?' Hij liep met haar mee.
'Morgen.' Ze deed de deur open. 'Zulke mensen werken ook op zondag.' Ze liep de hal in. 'Jezusmina,' zei ze.
Ze boog zich naar de spiegel toe en fatsoeneerde haar haar.
Hij kwam naar buiten, sloot de deur af en controleerde of hij goed dicht zat.
'Je hebt het te bont gemaakt,' zei ze. 'Je bent zogenaamd een en al openhartigheid, je lot ligt zogenaamd in mijn handen... Maar intussen probeer je me over te halen om mee te gluren. Als ik denk aan de gesprekken die je hebt afgeluisterd, om van die verrekte badkamer nog maar te zwijgen...'
'Ik heb al gezegd dat het me spijt,' zei hij. 'Wat moet ik nog meer doen? Me in het stof wentelen? Ik heb iets geweldigs en dat wilde ik je laten zien.'
'Dat heb je al gedaan,' zei ze, aan de col van haar trui plukkend. 'Godallemachtig, hoeveel heeft dat grapje je alles bij elkaar gekost?'
'De steekpenningen meegerekend,' zei hij, 'maar zonder de bouwkosten, een dikke zes miljoen dollar.'
Ze keek hem via de spiegel aan. 'Dat is pas echt zondegeld,' zei ze.
'Het pand is inmiddels tien miljoen in waarde gestegen,' zei hij. 'Ik heb het er dus al ruimschoots uit.'
'Dat maakt het nog erger,' zei ze. 'Maar ik zal er geen moeite mee hebben om de boel af te sluiten.' Ze draaide zich om, wandelde naar de liften, drukte op het knopje ertussenin en keek hem aan. 'Ik wil niet dat je vanavond naar me kijkt,' zei ze.
'Ik zal niet kijken,' beloofde hij en stak zijn hand omhoog.
'En ook niet naar anderen,' zei ze.
'Hè toe,' zei hij. 'De laatste avond? En dan nog wel een zaterdagavond!'
Ze keken elkaar aan.
'Bij nader inzien,' zei ze, 'kan ik misschien beter naar jou kijken. Ga het licht maar uitdoen. Je komt met mij mee.'

Glimlachend liep hij naar 13A.

'En kijk maar niet zo zelfgenoegzaam,' zei ze. 'Ik ben pisnijdig op je.'

'Juridisch bezien is het nog een schemergebied,' zei hij. Ze lagen als lepeltjes in een doosje. Hij omvatte haar borsten; zijn wang lag tegen haar haar. 'Vooral als de camera zich buiten het huurobject bevindt, zoals in dit geval. Ik ben goed op de hoogte wat privacy-kwesties betreft. Het stel in 10B werkt bij de vereniging voor burgerrechten.'

'Godallemachtig,' zei ze, 'en die bespioneer jij ook?'

'Daarom heb ik ze toegelaten,' antwoordde hij. 'Ik had zo'n idee dat ik via hen goed op de hoogte kon blijven. In werkelijkheid blijken ze heel anders te zijn dan je van juristen zou verwachten.'

'Welterusten, Pete,' zei ze nadrukkelijk.

'Welterusten, Kay.' Hij kuste haar nek, streelde haar borsten. Ze nestelden zich dichter tegen elkaar aan. Zwegen.

Felice installeerde zich aan hun voeten op de deken.

'Tussen twee haakjes,' zei hij, 'dit was het derde flatgebouw waar de kolonel zijn medewerking aan verleende. En hij heeft het ook nog bij een hotel gedaan.'

Ze zwegen.

'Hier in New York?' vroeg ze.

'Dat wilde hij niet zeggen.'

'Tjonge, ik ben blij dat hij zulke hoogstaande ethische opvattingen heeft.'

'Hij zei alleen dat het systeem in dat hotel gecomputeriseerd is. Het werkt alleen in kamers waar beweging is. Het maakt zelfs onderscheid tussen één persoon en twee personen. Dit hier is maar kruimelwerk.'

'Immoreel kruimelwerk..'

Ze zwegen.

'Hè toe,' zei hij. 'Een half uurtje nog, dan kunnen we de slotenmaker bellen. Geen badkamers. Geen Sam, als je daar moeite mee hebt.'

'Welterusten, Peter,' zei ze nogmaals.

Ze zwegen.

'Niet alleen het kijken is interessant,' zei hij. 'Je kunt ook verschillende dingen combineren, of het geluid van de ene flat bij het beeld van de andere voegen. Dan roep je allerlei... contrasten en harmo-

nieën op. Soms is het net alsof je een orgel bespeelt. Een mensenor-
gel.'
'Hou alsjeblieft je mond en ga slapen.'
'Welterusten,' zei hij. Kuste haar nek.
Ze zwegen.
Er bonkte iets op de vloer boven hen.
'Wat doen ze daar in godsnaam?' vroeg ze zich af.
'Dat gaat je niks aan,' antwoordde hij.
'Ach, verrek...'
Hij kuste haar nek.

8

'Een half uur,' zei Kay.

Pete deed de deur van 13B open, stak zijn hand naar binnen en knipte het licht in de gang aan. 'Ik hoop dat het interessant is,' zei hij terwijl hij de deur voor haar openhield. 'Het zit er dik in dat het niet veel voorstelt.'

'Ik dacht dat het een boeiende voorstelling met louter hoogtepunten was,' merkte ze op terwijl ze naar binnen liep.

'Een mooie zondagmiddag is niet de beste tijd. En vergeet niet dat het Thanksgiving-weekend is. Er zijn nog veel mensen weg.'

Op de drempel van de donkere woonkamer bleef ze staan en haar hand ging naar de plek waar ook in haar flat het lichtknopje zat. De lamp met de groene kap wierp haar schijnsel op het beige bedieningspaneel en de grijze schermen.

'Ik zal even een stoel voor je halen...'

Kay nam de gebogen wand met groen-glanzende monitors in zich op; zes rijen hoog vanaf het bedieningspaneel tot vlak bij het plafond, met boven en onder de grote schermen slechts een enkele rij. Boven elke monitor zat een verlicht nummer: 2 tot en met 11 links, 12 tot en met 21 rechts; de A-flats boven, de B-flats onder.

Ze liep erheen en stak haar handen in de zakken van haar jeans. Achter de stoel met verstelbare rugleuning bleef ze staan en keek naar het regiment dubbele schakelaars en drukknoppen, die net zo waren ingedeeld en genummerd als de monitors. In het midden bevond zich nog een paneel met grotere knoppen en schakelaars; iets meer naar achteren in het beige blad waren twee videorecorders ingebouwd.

In het paneel was ook een klokje opgenomen, waarvan de blauwe cijfertjes nu 12:55 aangaven. Verder waren er de telefoon en een klembord met blocnote. En een schaaltje wine-gums, in alle kleuren van de regenboog.

Achter haar werd de deur dichtgedaan.

Op de twee grote schermen zag ze Petes parelgrijze spiegelbeeld. Hij had een witte, rechte stoel bij zich, waarmee hij links van haar kwam staan. Ze draaide zich naar hem om. 'Heb je míj ook opgenomen?' vroeg ze.

Hij zette een van zijn witleren eetkamerstoelen neer, omklemde de rugleuning en keek haar aan. 'Ja,' antwoordde hij. 'De avond van je verhuizing, in het bad. Maar het is in de badkamer zo donker, dat je nauwelijks iets kunt zien. En ons samen, die eerste zaterdagavond.'

Ze wendde haar blik af. 'Niet te geloven,' zei ze.

'Ik heb de video aangezet toen ik de champagne ging halen,' vertelde hij glimlachend. 'Je weet maar nooit... Een belangrijke gebeurtenis mag je niet missen. Vraag me alsjeblieft niet om de band te wissen; hij is bij mij in veilige handen. En bedenk eens hoe leuk het is voor als we oud zijn. Dan zijn we waarschijnlijk het enige paar ter wereld dat hun eerste keer op de band heeft vastgelegd.'

Ze keek hem aan. Haalde eens diep adem. 'Daar twijfel ik niet aan,' zei ze, draaide zich om en ging zitten.

Hij zette de stoel recht voor de schermen, bukte zich en kuste haar op haar hoofd.

Hij liep de kamer in om de lamp met de groene kap te dimmen; bekeek het resultaat en dimde hem nog wat verder. 'Ik heb hier sodawater en zo,' zei hij. 'Wil je iets drinken?'

Ze schudde van nee, keek omlaag en streek over de rug van een hand.

Hij ging in zijn stoel zitten en rolde die tot vlak bij het bedieningspaneel. Toen hij een rood lampje aanzette, begon er achter in de flat iets te brommen.

Ze zat kaarsrecht op de rechte stoel en sloeg haar benen en armen over elkaar.

'Even geduld,' zei hij. 'Ik schakel de badkamers en Sams flat uit.' In het vage licht keek ze naar zijn hand en de meebewegende schaduw ervan terwijl hij de rij schakelaars vlak voor haar bediende. 'Wat is dat voor gebrom?' vroeg ze.

'De stroomvoorziening.' Hij zette nog een rij schakelaars om. 'Het voltage moet worden verlaagd en omgezet van wisselstroom in gelijkstroom. Als elk scherm een eigen transformator zou hebben, zou het hier veel te warm en te lawaaierig worden. Ik heb een grote transformator in de achterkamer staan, die is via een eigen kabel op het elektriciteitsnet aangesloten.' Hij drukte rechts een paar knoppen in.

Ze keek naar zijn afgewende hoofd. 'Het zou fantastisch zijn,' merkte ze op, 'als je zoveel energie stak in iets dat echt de moeite waard was.'

'Gun me de tijd,' zei hij. 'Ik loop met plannen rond voor allerlei projecten... Oké.' Hij ging weer recht zitten en drukte een paar knoppen in. 'Welkom in de èchte Gouden Eeuw van de televisie...' De schermen lichtten blauwachtig wit op en vertoonden aan beide zijden de ene rij kamers na de andere. De derde rij van boven bleef donker, evenals de onderste rij monitors, behalve die onder de grote schermen, die de ingang van het gebouw, de lounge, de postkamer en de twee liften bestreken.

'Laten we eens kijken wat Felice aan het doen is,' zei hij en drukte een knop in. Op de schermen in het midden verschenen opeens, in vogelvlucht, haar woonkamer en slaapkamer.

'Lieve hemel,' zei ze.

Hij toetste een paar knoppen in.

Ze keek naar haar meubels, het patroon van de kleden, de *Times* waarvan de katernen door de hele slaapkamer verspreid lagen, haar boeken, haar planten, haar siervoorwerpen.

'Het perspectief went gauw,' zei hij. 'Kijk, daar zit ze. Hoi, Felice.' Op het rechter scherm wandelde Felice langs het bed; de krant knisterde onder haar pootjes. Ze liep naar het raam boven aan het scherm, sprong in de vensterbank, ging in het zonlicht liggen, stak een achterpoot omhoog en begon die te likken.

Kay glimlachte in het blauwwitte licht.

'Ach verrek, dat was ik vergeten,' zei hij. 'We hadden beter tot drie uur kunnen wachten. Ruby houdt een seance, dat kan interessant worden. Ruby Clupeida, die met dat parfum.' Hij drukte op een knop die zich vlak voor Kay bevond, en op een knop vlak voor hem zelf. 'Ze doet aan spiritisme.' Op het linker scherm zette Giorgio, gekleed in een donkere kaftan, een stoel bij een ronde tafel. 'Een medium troggelt haar al maanden geld af,' vertelde Pete. 'Ik heb gezien dat hij in de badkamer op zijn spiekbriefje moest kijken. Eindelijk heeft ze argwaan gekregen en nu laat ze een deskundige opdraven. Die geeft zich straks uit voor haar vaders compagnon. De vader is dood en heeft van zich laten horen.'

'Wat een schitterende antieke meubels,' zei ze. 'Uit de tijd van Jakobus II.'

'Erfstukken,' zei hij. 'Haar moeder heeft een proces aangespannen om ze terug te eisen. Ze beweert dat Ruby ze zonder toestemming heeft meegenomen.'

'Ze is dus geen man in vrouwenkleren.'

'Nee.' Glimlachend tuurde hij de monitors langs. 'Grappig dat je toen zei dat je dat van haar dacht, want je had me net naar Vida gevraagd. En die is dat wel, min of meer.'

'Wàt?'

'Hij is transseksueel, maar moet nog geopereerd worden,' vertelde Pete. 'Hij heeft de hormonenbehandelingen achter de rug, maar vlak voor de operatie heeft hij zich bedacht. Al ruim een jaar is dat een twistpunt tussen hem en zijn partner. En je raadt nooit... O mooi, Jay en Lisa zijn thuis.' Hij drukte een paar knoppen in. 'De Fishers, 4A. Zij heeft een verhouding met haar baas en haar zusje heeft hem vorige week op de hoogte gebracht. Ze ontkent nog steeds.' In een high-tech woonkamer op het rechter scherm stond een aantrekkelijke vrouw met donker haar, die Kay wel eens in de lift had gezien, in pyjama uit het raam te kijken. Een man, ook in pyjama, zat op zijn hurken de t.v. bij te stellen.

'Het is heerlijk weer,' merkte Lisa Fisher op.

'Ga dan wandelen,' zei Jay Fisher. 'Bel Ben. Je doet maar.'

'O god,' zei Lisa Fisher, 'begin je nu weer...'

In een schaars gemeubileerde woonkamer op het linker scherm ging de man met het sikje van de twaalfde verdieping aan een bureau zitten; hij pakte de telefoon.

'David Hoenenkamp,' zei Pete, terwijl de Fishers verder kibbelden. 'Een ex-priester, zit nu in de reclame. Hij heeft een eigen bureautje, klein maar succesvol. Hij is gescheiden van de vrouw voor wie hij is uitgetreden.'

Ze luisterden naar David Hoenenkamp, die een cliënt uitlegde waarom hij de opdracht weigerde.

De Fishers waren nog aan het bekvechten.

'Fantastisch helder beeld, hè?' zei hij terwijl hij haar het schaaltje met wine-gums voorhield.

Ze knikte en nam er een paar.

'Takai,' vertelde hij. 'Uit Japan, het neusje van de zalm.' Hij zette het bakje neer op de blauwe klok, die op 13:07 stond, en nam zelf ook een paar wine-gums.

Ze keken naar de Sweringens op één en naar de Fishers op twee. Hij schakelde het geluid van het ene naar het andere scherm.

'Ik verzeker je dat het me niet om het geld gaat,' zei Stefan op scherm één, terwijl hij naar de keuken liep. 'Het gaat me om de tijd die erin gaat zitten. Weet je wel hoe lang het duurt om die onderdelen bij elkaar te zoeken?'

'Zeg, hoe laat is het?' vroeg Kay.

Hij schoof het schaaltje opzij. Het was 15:02. 'Jezus,' zei hij. 'Allemachtig,' zei zij.

Hij zette het geluid af en draaide zijn stoel naar haar toe.

Ze keken elkaar aan.

'En dit was nog niets, Kay,' zei hij. 'Er is bijna niemand thuis. Geen dr. Palme. Niet eens seks, verdorie.'

Ze zei: 'Ik had niet verwacht dat het saai zou zijn.'

'Je zou over een paar uur nog eens moeten kijken,' zei hij, 'als iedereen thuiskomt.'

Ze ging verzitten, boog zich naar hem toe en nam zijn handen in de hare. 'Petey, het is verkeerd,' zei ze met nadruk, 'hoe interessant en... fascinerend het ook is. En als iemand het ontdekt, dan hang je, dat weet je donders goed. Het kan je hele leven verpesten. Ons hele leven...'

Ze keken elkaar aan.

'Je moet er een streep onder zetten,' vervolgde Kay. 'Niet alleen om ons, maar ter wille van jezelf.'

Hij zuchtte en knikte. 'Je zult wel gelijk hebben...' zei hij.

Ze liet zijn handen los.

Pete draaide de stoel, trok een la open en pakte de Gouden Gids. Sloeg het dikke boek op zijn schoot open en draaide terug. Zuchtend keek hij haar aan.

Kay bestudeerde hem.

In het blauwwitte licht zocht hij de slotenmakers op. 'Tjonge, wat zijn dat er veel,' zei hij al bladerend.

'Hoe wil je dat eigenlijk organiseren?' vroeg ze. 'Laat Terry een slotenmaker zijn gang gaan terwijl de Johnsons niet thuis zijn?'

Hij keek haar aan.

'En als je iemand naar 13A laat komen,' zei ze, 'is hij dan bereid in opdracht van jou het slot van 13B te vervangen?'

Hij zei: 'Daar had ik nog niet aan gedacht.'

'Aartsleugenaar die je bent.'

Hij stak zijn rechterhand omhoog. 'Kay, ik zweer het je, daar had ik niet aan gedacht. Ik wilde jou zo graag een poosje laten meekijken...' Hij boog zich naar haar toe. 'Luister eens,' zei hij, 'het maakt geen enkel verschil. We hoeven alleen maar te zorgen dat deze deur niet van buitenaf kan worden opengemaakt. We spijkeren bijvoorbeeld een lat op de grond, of zoiets. Bovendien kun jij ook nog een slot aanbrengen op de deur van de achterkamer. Dat komt op hetzelfde neer.' Hij glimlachte haar toe. 'We kunnen er een spelletje van maken: ik probeer jou de combinatie te ontfutselen en als het me lukt, mag jij die weer veranderen.'

Ze keek hem even strak aan. Schudde haar hoofd. 'Nee,' antwoordde ze. 'Ik heb me bedacht. Ik ben niet van plan je te gaan bemoederen. Zo'n verhouding wil ik niet. Je bent een volwassen man, Pete. Je moet zelf verantwoordelijkheid dragen voor wat je doet. Je weet hoe ik erover denk. Als je werkelijk een vaste relatie wilt, moet je zelf de boel afsluiten.'

Hij zuchtte. 'Ik moet de eer aan mezelf houden?'

'Precies,' zei ze.

Hij knikte, sloeg de Gouden Gids dicht, draaide zich om en legde het boek op het bedieningspaneel. 'Natuurlijk, je hebt gelijk...' Hij draaide zich terug en glimlachte haar toe. 'Je pakt me flink aan...' Hij nam haar handen in de zijne, boog zijn hoofd en kuste ze. Daarna keek hij haar aan; in het blauwwitte schijnsel waren zijn blauwe ogen nog een tint donkerder. 'Ik zal het doen,' zei hij. 'Ik zal een van die projecten aanpakken waar ik het over had. Eigenlijk ben ik al zo'n beetje begonnen. Er zijn hier dingen gaande waar ik me zeer bij betrokken voel: een paar patiënten van dr. Palme, die twee vrouwen van 11B en de Ostrows, die pal boven jou wonen. Ik kan niet beloven dat ik er meteen helemaal mee kap, maar ik zal snel minderen. Dat beloof ik je.'

'Ik hoop het, Pete,' zei Kay. 'Ik hoop het van harte.'

Ze bogen zich naar elkaar toe voor een kus.

'En naar jóu kijk ik helemaal nooit meer,' zei hij. Maakte zijn hand los, draaide zich om en zette een paar schakelaars om. De monitors van 20B, de op één na laatste in de rij rechtsonder, werden donker. Hij keek haar glimlachend aan. 'Jij en Sam,' zei hij. 'Mooi symmetrisch.'

Ze keek naar de donkere monitors op de tweede rij van onderen links. Toen ze zich terugdraaide, zag ze in 8B iets bewegen.

'Het medium is gearriveerd,' zei hij. Drukte een paar knoppen in. Hand in hand zaten ze naar de grote schermen te kijken. Ruby en een andere vrouw lieten een forse man in een donker pak de woonkamer binnen. Jay schoot een jas aan en riep iets naar Lisa, die met een vinger in haar oor zat te telefoneren.

'Zet het geluid eens aan,' zei Kay. 'Heel eventjes maar.'

Maandagochtend belde ze meteen de juridische afdeling. Wayne was er gelukkig. Ze vroeg hoe het met Sandy en de kinderen ging. Uitstekend. 'Ik heb informatie van je nodig. Hoe zit het juridisch met de schending van privacy?' vroeg ze. 'Met name als iemand een videocamera in een flat installeert en die verhuurt, hier in New York.'

'En de huurder weet van niets?'

'Klopt,' zei ze. 'De telefoon wordt ook afgeluisterd. Ik heb hier een manuscript waarin dat voorkomt, en volgens de auteur is dat in juridisch opzicht nog een schimmig terrein. Heeft hij gelijk, en zo ja, hoe schimmig is het dan?'

'Daar kan ik zo uit de losse hand geen antwoord op geven, dat is mijn terrein niet, maar ik wil best eens voor je informeren. Ik kan je wel al zeggen dat het afluisteren van een telefoon, zonder toestemming van de overheid, op grond van een federale wet verboden is.'

'Dat dacht ik al,' zei ze.

'In de staat New York waarschijnlijk ook. Over die videocamera bel ik je nog terug. Ik denk niet dat het veel tijd kost.'

'De camera bevindt zich buiten de flat,' vertelde ze nog. 'Hij beweert dat dat verschil maakt. Door de lamp aan het plafond loopt een glasvezelkabel.'

'Zit er een commercieel doel achter?'

'Nee,' zei ze, 'het gaat zuiver om het begluren.'

'Aha. En dan verschijnt de heldin van het verhaal ten tonele.'

'Goed geraden,' zei ze.

Ze vroeg Sara om Florence Leary Winthrop te bellen en alle telefoontjes behalve dat van Wayne af te houden.

Een half uur later onderbrak ze haar gesprek met Florence. 'Wayne?'

'Ja. Je auteur heeft gelijk. Er bestaat nog geen federale of staatswet die het begluren door middel van een videocamera verbiedt. De verhuurder kan voor de rechter worden gedaagd als de huurder erachter komt, maar de aanklacht – afgezien van het zonder toestemming afluisteren van de telefoon, waar overigens vijf jaar op staat – kan alleen gebaseerd zijn op de staatswet die bespieden verbiedt, een klein vergrijp. En zelfs daarover valt nog te twisten.'

'Dat verbaast me,' zei ze.

'Mij ook. Het kan zijn dat er wetgeving zit aan te komen. Daarnaar kun je waarschijnlijk het best informeren bij de vereniging voor burgerrechten.'

Kay bedankte hem en verontschuldigde zich bij Florence.

'Dat heb ik je toch gezegd,' zei Pete die avond met een glimlach. 'Ze zijn zeer goed op de hoogte en ze kwekken aan één stuk door. Twee juristen bij elkaar.'

'Op het illegaal afluisteren van telefoons,' zei Kay, 'staat vijf jaar.'

'Dat weet ik,' antwoordde hij.

Ze zaten te eten in Table d'Hôte, een bescheiden restaurant aan Ninety-second street. Aan zeven van de acht antieke tafeltjes zaten stellen van twee of gezelschappen van vier; het geluidsniveau van de gesprekken en het gekletter van bestek was hoog. Ze zaten in een hoekje aan een rond tafeltje, knie aan knie, witte wijn te drinken; ze besmeerden stukjes brood, dat van twee deegsoorten was gebakken, met boter.

'Ik kan alles niet zomaar terugdraaien,' zei hij. 'Daarvoor moet ik het plafond van het souterrain openbikken. Maar niemand komt erachter. En heus, ik ben al aan het minderen. Ik heb vandaag helemaal niet gekeken, maar ja, op maandag valt er nooit veel te beleven. Overdag, bedoel ik. Maandagavond is altijd leuk, want dan is iedereen thuis.'

'Wat heb je gedaan?' vroeg ze.

'Ik heb aan de computer gezeten en aan het project gewerkt,' antwoordde hij. 'En ik zeg er meteen bij dat ik er liever niet over praat tot bepaalde problemen uit de wereld geholpen zijn. Daar kun je vast wel begrip voor opbrengen.'

'Natuurlijk,' zei ze. 'Het was niet mijn bedoeling je op te jutten. Ik wilde alleen weten hoe je de dag had doorgebracht. Het zal wel moeite hebben gekost om niet te kijken. Ik moest er de hele tijd aan denken, zo fascinerend is het.'

'Dat komt doordat het echt is,' zei hij. 'Hetzelfde verschil heb je tussen een kettingbotsing in een film en een ongeluk dat je met eigen ogen ziet gebeuren.'

'Bovendien weet je nooit wat er gaat gebeuren,' zei ze.

'Inderdaad, dat speelt ook een grote rol,' zei hij. 'De absolute onvoorspelbaarheid, en de afwisseling.'

Ze zuchtte en nam nog een slokje wijn. 'Was het maar niet zo verrekte verkeerd,' zei ze.

'Men beschouwt het als verkeerd,' zei hij, 'maar niemand heeft er last van en ik wil wedden dat niemand de verleiding zou kunnen weerstaan om een poosje mee te kijken.'

Ze keek hem aan. 'Niet meer doen,' zei ze.

'Nee,' zei hij. 'En ik zei toch al: ik heb vandaag helemaal niet gekeken, en dat terwijl dr. Palme op maandag een van zijn interessantste patiënten heeft.'

De ober zette prachtig gegarneerde victoriaanse borden voor hen neer, met gegrilleerde zwaardvis en gepocheerde zalm.

Verrukkelijk. Ze lieten elkaar een hapje proeven.

Hij vertelde haar het een en ander over enkele patiënten van dr. Palme.

Het lange stel van de zeventiende verdieping kwam binnen; een van de obers begroette hen en wees hun het lege tafeltje dat twee tafels van dat van hen af stond.

'Meneer en mevrouw Cole van 17A,' fluisterde hij. 'De grootste perverselingen van het hele gebouw.'

'Zijn wij dat dan niet?' vroeg ze.

'Wij? Op geen stukken na. Wij staan op de vijfde of zesde plaats.'

'Maar met stip.'

Onderweg naar huis gingen ze langs bij de Koreaanse delicatessenwinkel, waar altijd een weelde aan bloemen stond uitgestald, en kochten er sinaasappelsap en appels voor haar, en melk, druiven en koffie voor hem. Het wisselgeld deponeerde Pete in het kartonnen bekertje van de bedelaar die buiten zat.

Ze liepen Ninety-second Street door en wachtten tot het licht op groen sprong. Keken naar het omhoogtorenende gebouw dat een roze schijnsel uitstraalde, met de twee identieke rijen oplichtende ramen, die zich tot de donkere top toe glinsterend uitstrekten.

'Een raar idee,' zei Kay terwijl ze haar arm door die van Pete stak, 'dat we de mensen achter die ramen kennen...'

'Ik dacht dat het in jouw geboortedorp net zo was?'

'Ja zeker, precies hetzelfde.'

Ze glimlachten elkaar toe. Tuitten hun lippen en kusten elkaar. Staken de straat over.

Walt, in winters roodbruin, liep achteruit en hield de deur voor hen open.

'Hoi, Walt,' zeiden ze.

'Mevrouw Norris, meneer Henderson...'

Terwijl ze de hal door liepen, fluisterde hij haar in: 'Hij heeft iets met Denise Smith van 5B.'

'O ja?'

'Hij zorgt wel dat hij aan zijn trekken komt.' Pete drukte op het knopje. Ze sloegen Walt gade, die een taxiportier openhield. 'Het komt door zijn stem,' zei Pete. 'Hij zong vroeger bij de City Opera, in het koor. Hij en Ruby hebben vorig jaar een verhouding gehad, maar hij heeft er een eind aan gemaakt. Ze zadelde hem de hele tijd op met het uitlaten van de hond.'

Het zwart-witte paar kwam binnen, met kerstinkopen van Lord & Taylor. Men knikte elkaar vriendelijk toe.

Pete zei: 'Daar is het de tijd van het jaar weer voor.'

'Zo is dat,' zei de man glimlachend.

Lift nummer één arriveerde. Zwijgend lieten ze zich naar boven brengen.

Nadat de deur op de zevende verdieping was dichtgegaan, zei hij: 'Bill en Carol Wagnall. Héél interessant.'

'Dat geloof ik direct,' zei ze.

Op de dertiende verdieping stapten ze uit om zijn boodschappen weg te brengen.

'Heel eventjes?' zei hij.

'Pete.' zei ze. 'Je weet hoe het gaat...'

Ze keken elkaar aan.

Kay zei: 'Ik kan niet ontkennen dat ik best zou willen...'

'Ze wéten het toch niet,' zei Pete.

Ze schudde haar hoofd. 'Jezus,' zei ze.

'Hè toe,' zei hij. 'We spreken een redelijke tijd af en daar houden we ons aan. Ik heb toch al gezegd dat ik er niet rigoureus mee kap? Eén uur. Maar dan ook geen minuut langer. We zetten de wekker.'

Ze zuchtte. 'Goed dan,' zei ze. 'Maar geen minuut langer. Eén uur.'

Ze zetten de wekker.

Ze werkten zich in het zweet in de Vertical Club, waar ze naast elkaar hun armspieren versterkten. Trokken baantjes in het zwembad.

Ze gingen met Roxie en Fletcher naar een succesvolle show in een theatertje niet ver van Broadway. Vonden er niet veel aan, hoewel Roxie en Fletcher ervan genoten. Roxie nodigde hen uit voor een slaapmutsje. Ze sloegen het aanbod af.

Het was kinderlijk eenvoudig. Je drukte op het bovenste knopje van 10A, daarna op de knop voor het grote scherm – en hup, daar stond de woonkamer van 10A al op scherm één. Anne Stangerson hield haar handen tegen haar oren gedrukt en weigerde te luisteren naar een oude vrouw die iets van een vel papier voorlas: haar moeder had haar testament gemaakt.

Ze keken er een paar minuten naar, terwijl op scherm twee de Gruens van 14B naakt op bed lagen met een boek en een rekenmachientje; ze berekenden wat de beste tijd was om Daisy zwanger te maken.

Kay bediende de monitors links plus scherm één, Pete de monitors rechts plus scherm twee. Ze ontdekten contrasten en harmonieën. Ze speelden quatre-mains op het mensenorgel.

Kay stond met de armen over elkaar geslagen uit het raam van haar kantoor te kijken. Ze keek neer op de glanzende ketting van het door regen geplaagde verkeer ver onder haar. Ze slaakte een zucht en keek voor zich uit. Een vrouw die aan de overkant voor het raam stond, wendde haar blik af.

'Kay,' zei Sara, 'is er iets?'

Ze draaide zich om en glimlachte. 'Niets bijzonders,' zei ze. 'Daklozen, drugs en misdaad, het nationale financieringstekort...'

Op een dag dat ze thuis werkte, ging ze naar beneden om naar dr. Palme te kijken. Er stonden twee zwarte stoelen met verstelbare rugleuning voor het bedieningspaneel.

'Wat zeg je ervan,' zei Pete. 'Hij heeft zich gesplitst.'

Ze keken naar dr. Palme en Nina.

En naar Dick.

En naar Joanna.

Diadem had een tafel gereserveerd voor een feestelijk dinerdansant ten bate van de vrijwilligers die zich inzetten voor de bestrijding van het analfabetisme in Amerika. Het feest werd gehouden in het Celeste Bartos Forum van de bibliotheek aan Fortysecond Street. Toen ze in een taxi langs Fifth Avenue reden, in namaakbont en met kraaltjes bestikt bordeauxrood velours, zei ze: 'Echt, bereid je nou maar voor op vuile blikken, en misschien ook op vuile opmerkingen. Ik heb dit vaker zien gebeuren. Oudere mannen worden er agressief van, vooral als de vrouw in kwestie niet foeilelijk is. Het brengt het dierlijke in de mens boven: de mannetjesherten kruisen de geweien.'

'Maak je toch niet druk,' zei hij. 'Oudere vrouwen met jongere mannen kom je overal tegen. Kijk maar naar Babette en Allan.'

'Jezusmina, die schelen maar vijf jaar,' zei ze.

'Kalmeer,' zei hij. 'Ik wil wedden dat iedereen aardig doet. Als ik verlies, zal ik je eens lekker masseren.'

Ze keek naar buiten. 'Daar hou ik je aan...'

Het verkeer kroop voort. De kerstboom van het Rockefeller Center bleek adembenemend mooi toen ze er stapvoets voorbijreden; oogverblindend veel lichtjes aan het einde van de plaza, rissen fragiele engeltjes die hun vergulde trompetten omhoogstaken...

In de hal voor de zaal nam ze zijn hand in de hare. 'Daar gaat ie dan.' Ze troonde hem mee naar een echtpaar met grijs haar, dat in de rij stond voor de garderobe. 'Hoi!' zei ze. 'Dit is Peter Henderson. Pete, June del Vecchio, Norman del Vecchio.'

'Hallo!' zei June terwijl ze Pete de hand schudde en hem glimlachend aankeek.

'Hallo,' zei Norman. Hij schudde Pete glimlachend de hand.

'Prettig met u kennis te maken,' zei Pete. 'Kay heeft me verteld dat u actief lid bent van Civitas. Dat was mijn vader ook. Hebt u hem misschien gekend? John Henderson.'

Norman vroeg: 'De Henderson van U.S. Steel?'

'Ja,' antwoordde hij.

'Die hebben we inderdaad gekend,' zei Norman glimlachend.

'Het was toch zo'n charmante man!' zei June. 'Je hebt zijn ogen, en zijn glimlach!'

'En een formidabel zakenman!' zei Norman. 'Hij wist zelfs geld los te krijgen van aannemers tegen wie we processen hadden gevoerd!'

'Als de appel niet ver van de boom valt, mag je wel uitkijken, Kay,' zei June.

Ze glimlachte. 'Ik zal je waarschuwing ter harte nemen,' zei ze.

'In welke branche zit jij, Peter?' informeerde Norman.

'Ik houd me bezig met computerprogramma's,' antwoordde hij. 'Op het ogenblik zit ik tussen twee projecten in.'

'Misschien zou je eens naar onze manier van factureren kunnen kijken. Het systeem is hoog nodig aan vernieuwing toe. O Jim, kom eens even kennismaken met Peter Henderson, de zoon van een oude vriend...'

Om te beginnen waren er cocktails in de Astor Hall. Iedereen was even aardig.

Stuart had Sams manuscript ontvangen en bedankte Kay. 'Een kolfje naar mijn hand,' zei hij. 'Volgende week komt hij voor een gesprek. Als we het eens worden, bied ik hem een bescheiden voorschot aan.'

'O mooi, dat doet me plezier,' zei Kay.

'Geweldig,' zei Pete.

'Ken jij hem ook, Pete?' vroeg Stuart.

'We groeten elkaar in de lift,' zei hij. 'We wonen allemaal in dezelfde flat.'

Wendy vroeg glimlachend: 'Ben jij toevallig die geheimzinnige eigenaar?'

Met een glimlach in Kays richting antwoordde Pete: 'Nee, we zijn er nog niet achter wie dat is. De favoriete kandidaten zijn een paar juristen.'

De glazen koepel van het forum – voorzien van stalen ribben met lichtjes erlangs, als een ruimteschip van H.G. Wells – werd van bovenaf beschenen door van roze naar violet verlopend licht. De tafeltjes waren gedekt met paars en violet, het servies was wit met een gouden randje, en er stonden roze met violette bloemstukken en hoge roze kaarsen. Een vier man sterk combo speelde Sondheim en Porter.

Het gesprek aan de tafel van Diadem ging over het verkeer, de afbrokkelende infrastructuur van de stad, Japanse beleggingsstrategieën, gezond eten en testamenten.

Na het gevleugelde wild zei Norman: 'Kay?' Terwijl ze met Norman meeliep naar de dansvloer schonk ze Pete een glimlach. Ze groetten enkele bekenden en dansten op gepaste afstand van elkaar op *Let's Do It*.

'Er ontgaat hem niet veel,' zei Norman. 'En hij is ook goed op de hoogte.'

'Ja, hè?' zei ze.

'Ik hoop dat hij emotioneel evenwichtiger is dan zijn vader. Vier keer getrouwd, geloof ik. Iedere keer met een actrice. Ik vraag me af...'

Ze dansten verder, ingesloten door andere paren.

'Wat vraag je je af?' vroeg Kay.

'Een van die vrouwen is overleden na een val van de trap,' zei Norman. 'Ik vroeg me af of dat Peters moeder was.'

'Klopt,' zei ze. 'Thea Marshall.'

'Een gebogen marmeren trap, volgens het verhaal.'

'Het verhaal?' Ze glimlachte Pete toe, die een eindje verderop danste en haar boven Junes grijze krullen een knipoog gaf.

'Hallo,' zei Norman tegen een bekende. 'O, een roddelpraatje dat toentertijd de ronde deed... Hoe lang is het geleden... Twaalf, dertien jaar? Er was een feest aan de gang toen het gebeurde. Ze liep met koffers te sjouwen, daardoor is ze gestruikeld. Ze had haast om een vliegtuig te halen. Op het allerlaatste moment had ze besloten om met Kerstmis naar huis te gaan. Dat zei Henderson naderhand. Ze kwam ergens uit Canada. Er werd beweerd dat een van de koffers openviel toen hij onder aan de trap belandde, en iemand heeft gezien dat er badpakken en zomerjurken in zaten.'

'Kunnen we ruilen?' vroeg Pete, met een glimlachende June aan zijn arm.

'Ja zeker,' zei Norman. Hij liet Kay los en danste met June verder. 'Voor alle partijen een goede ruil.' Pete sloeg zijn arm om Kays middel en glimlachte haar toe.

'Wat zijn we galant vanavond,' zei June terwijl Norman zich met haar te midden van de andere dansers voegde.

'Hoorde ik iets over badpakken en zomerjurken?' vroeg Pete. Hij trok Kay dicht tegen zich aan, pakte haar hand en samen bewogen ze op het ritme van de muziek.

Ze keek hem aan. Het donkere kostuum stond hem goed en zijn blauwe ogen keken glimlachend op haar neer.

'Dat dacht ik op te vangen,' zei hij.

Ze antwoordde: 'Geen idee. Ik heb niet goed geluisterd.'

Hij trok haar nog iets dichter naar zich toe en legde zijn wang tegen de hare. 'Wie is wie een massage schuldig?' vroeg hij.

Ze dansten te midden van de andere gasten op *Easy To Love*, onder de glazen koepel met stalen ribben, in een schijnsel dat verliep van violet naar paars.

9

Toen het met haar werk tijdelijk niet wilde vlotten had Kay het zich proberen voor te stellen. Wat vreselijk dat het thuis was gebeurd, op een tijdstip dat hij er hoogst waarschijnlijk getuige van was geweest, en dan nog wel vlak voor Kerstmis, tijdens een feest.

Ze moest er weer aan denken toen ze toekeek hoe Lisa op scherm één een koffer pakte en Maggie, die arme Maggie op scherm twee een koffer aan het uitpakken was. Pete was in 13A om de bezorger van restaurant Jolly Chan's op te wachten, die in de lift onderweg was, samen met Phil en de McAuliffs.

De badpakken en zomerjurken, als ze echt waren geweest en geen vergissing, duidden op Californië.

En dat wees in de richting van Sam.

En dat zou erop kunnen wijzen dat John Henderson zijn vrouw een duwtje had gegeven.

Ze had veel te veel griezelverhalen en thrillers geredigeerd, hield ze zich voor. In werkelijkheid was een dodelijke valpartij vrijwel altijd een ongeluk, geen opzet. Zelfs een val van een gebogen marmeren trap.

Ze hadden ook nog een huis in Palm Beach gehad. Misschien had Thea daarheen willen gaan en had John gezegd dat ze dat alleen maar deed omdat dat beter klonk dan scheiden met Kerstmis.

Maar Thea had in Palm Beach toch zeker genoeg badpakken en zomerjurken gehad...

De deur ging open. Kay draaide zich om. Pete kwam de gang binnen met een zak van bruin papier. Hij glimlachte – John Hendersons glimlach. Johns zoon.

'Wat wil je eerst?' vroeg hij terwijl hij de deur achter zich dichtdeed.

'Het maakt mij niet uit, schat,' zei ze. Glimlachte hem toe.

Hij glimlachte in het fletse blauwwitte schijnsel en keek over haar heen. 'Interessant,' zei hij. 'Het verhaal van de twee koffers. Had ik je al verteld dat ze terugkwam?' Hij liep naar de keuken. Vanuit de doorloop stroomde er licht binnen.

Ze wendde zich naar het scherm en keek weer naar Lisa, die haar koffer probeerde dicht te krijgen. Maggie zette de hare in de kast. Kay draaide haar stoel een halve slag, stond op en ging naar de keuken. Pete was bezig de zak uit te pakken. 'Dit doe ik wel even, liefje,' zei hij.

'Ik wil even mijn benen strekken,' zei ze. Pakte borden uit het afdruiprek en zette ze op het aanrecht. 'Mmm, wat ruikt dat lekker,' zei ze.

'Waarom zetten ze er niet op wat erin zit...' Hij peuterde aan de rand van een rond bakje.

Kay pakte vorken en opscheplepels uit de la en legde de lepels bij hem neer. 'Over koffers gesproken,' zei ze. 'Norman vertelde me over de val die je moeder heeft gemaakt.'

Hij draaide zich naar haar toe en keek haar aan. 'Was hij erbij?' vroeg hij.

'Nee. Hij heeft het van horen zeggen. Ik wist hoe ze was gestorven, want dat had Sam me verteld, maar ik wist niet dat het thuis was gebeurd.' Ze legde haar hand op zijn arm en keek hem aan. 'Was je erbij?' vroeg ze.

Hij knikte. 'Ze had me net gedag gezegd,' zei hij. 'Nauwelijks twee minuten voordat het gebeurde.'

Er ging een steek door haar heen en ze gaf een kneepje in zijn arm. 'Ik heb het niet zien gebeuren,' zei hij. 'Ik was op mijn kamer.' Hij glimlachte. 'Ik zat naar *Charlie's Angels* te kijken.' Zijn glimlach verflauwde. 'Opeens werd het stil beneden. Er waren wel dertig, veertig mensen in huis, maar het werd doodstil...' Hij haalde diep adem en keek naar het bakje, waarna hij met beide handen op de rand drukte. 'Volgens mij zijn dit de kerriegarnalen,' zei hij.

Kay ging dicht bij hem staan, met haar hand op zijn arm, en keek naar zijn handen. 'Waar ging ze heen?' vroeg ze.

'Naar mijn grootouders,' zei hij. 'In Nova Scotia. Ben je daar wel eens geweest?'

'Nee,' antwoordde ze.

'Ik ook niet,' zei hij. 'Als je haar verhalen moest geloven was het er bar ongezellig. Ze zijn een paar keer bij ons op bezoek geweest, maar wij zijn nooit naar hen toe gegaan.'

Ze kuste hem op zijn oor, liet zijn arm los en pakte een handje servetjes uit de doos, terwijl hij de rijst en de garnalen op de borden schepte. 'Wat wil je drinken?' vroeg ze.

Pete kneep zijn ogen halfdicht en tuitte zijn lippen. 'Een pilsje,' zei hij.

'Goed idee,' zei Kay en legde de vorken en servetjes op het blad. Ze ging naar de koelkast en deed hem open. 'Waar is je vader aan overleden?' vroeg ze.

'Beenmergkanker,' antwoordde hij. 'Wanneer heeft Norman je dat verteld? Laatst op dat feest?'

Ze pakte twee blikjes bier en duwde de deur met haar elleboog dicht. 'Nee,' zei ze. 'Gisteren, op zijn kantoor. Hij is onder de indruk van je uitstraling, wist je dat?'

'Kom kom,' zei hij. 'Hij is onder de indruk van mijn geld.'

'Van allebei,' zei ze.

Ze pakte de glazen, zette alles op het blad en ging ermee naar binnen. Hij nam de twee volle borden mee.

Het was zaterdagavond. Ze keken tot na tweeën.

'Wat een avond,' zei ze terwijl ze zich op zijn schoot omdraaide en hem knuffelde. Hij kuste haar en liet zijn stoel twee keer rondtollen. 'Een zaterdagavond net als alle andere,' zei hij.

Kay stond op en rekte zich geeuwend uit. Pete streelde haar rug, draaide zich om en trok een la open. 'Ik zet de Steins op de band,' zei hij. 'Je weet maar nooit of Springsteen nog komt opdagen.'

'Die komt niet,' zei ze terwijl ze haar blouse dichtknoopte. 'Mark kletst maar wat, dat hoor je toch zo.'

'Vladimir Horowitz is er een keer op bezoek geweest,' vertelde Pete. Hij stroopte het plastic van een videocassette. 'Dat heb ik bewaard. Maar Lesley was steeds aan het woord.'

'Neem je vaak iets op?' vroeg ze terwijl ze de borden en servetjes verzamelde.

'Nee.' Hij maakte een prop van het plastic en haalde de cassette uit de houder. 'Het eerste jaar wel. Die twee laden daar zitten vol banden, maar er gebeurden altijd zo veel nieuwe dingen, dat ik er nooit aan toe kwam om ze te bekijken.' Hij stopte de cassette in de rechter video. 'Nu doe ik het alleen als er iets heel spannends gebeurt.' Hij drukte een paar knoppen in.

'Zoals wij samen,' zei ze terwijl ze met een gebruikt servetje de rijstkorrels en cakekruimels van het bedieningspaneel op de borden veegde.

'Precies,' zei hij glimlachend. 'En Springsteen, wie weet.'

Hij zette alles uit behalve de video en de camera in de woonkamer van de Steins.

Ze ruimden de keuken op. Toen ze weggingen, gooide hij het afval weg.

Kay had twee van de manuscripten die woensdagmiddag werden besproken slechts vluchtig kunnen doorkijken, maar ze sloeg zich met flair door de bespreking heen. Haar argumenten waren zelfs steekhoudender geweest dan anders, hield ze zich voor terwijl ze de lift naar beneden nam, naar de achtenveertigste verdieping. Deze keer had ze immers het bos gezien in plaats van alleen de bomen. Sam zat in de ontvangsthal te lezen; zijn jas lag naast hem op de bank. Hij keek haar over zijn halve brilletje heen aan, glimlachte en stond op. Hij was gekleed in een bruin ribkostuum, geruit overhemd en zwarte das, terwijl aan zijn grijze haar te zien was dat hij pas naar de kapper was geweest.

'Hallo!' zei hij, zette zijn bril af en legde een numer van *Publishers Weekly* neer.

'Hoi, Sam!' begroette Kay hem. 'Stuart zei al dat jullie een afspraak hadden voor vanmiddag.'

'Je mag me feliciteren,' zei hij met zijn wat hese stem. Hij schudde haar glimlachend de hand. 'Ik word auteur bij Diadem.'

'O, wat geweldig!' riep ze uit. 'Gefeliciteerd!' Ze omhelsde hem. 'Dat is ook voor ons een gelukwens waard.'

Sam glimlachte stralend. Ragfijne littekentjes liepen over zijn verhitte wangen en scheve neus. 'Hij stelt een contract op,' vertelde hij. 'Ik krijg een voorschot en nog een deel van het honorarium als ik halverwege ben.'

'Ik wist wel dat hij er iets in zou zien,' zei Kay.

'Ik ben je reuze dankbaar.'

Ze nam hem mee naar haar kantoor en liet Sara voor koffie zorgen. Ze namen plaats in de gemakkelijke stoelen die schuin tegenover elkaar bij het raam stonden.

Sam keek naar de kantoortoren aan de overkant, met de glazen pui. 'Een paradijs voor voyeurs,' merkte hij op.

Glimlachend roerde Kay in haar koffie.

Sam nam een slokje. 'Stuart was een en al begrip,' zei hij. 'Hij is in de filmwereld grootgebracht.'

'Daarom heb ik je naar hem verwezen,' zei ze. 'En ook omdat hij een uitstekend redacteur is, met behoorlijk wat invloed.'

'Ik ben je heel erg dankbaar,' zei hij. 'Dit is ontzettend belangrijk voor me. Achteraf bezien heb ik er verkeerd aan gedaan die toelage aan te nemen. Van die stichting, weet je wel.' Hij nam een slokje uit het witte kopje, waarop een blauw kroontje met drie edelstenen stond afgebeeld. 'Als het geld voor je levensonderhoud automatisch binnenkomt,' zei hij, 'word je verschrikkelijk lui en gemakzuchtig. Behalve dat ik nu aan het schrijven ben geslagen, wat steeds beter gaat, geef ik ook nog meer lessen dan eerst.' Hij glimlachte haar toe. 'Ik zie mezelf al aan talk-shows meedoen en uiteindelijk misschien zelfs weer regisseren.'

Kay glimlachte. 'Dat is fantastisch,' zei ze. 'Ik hoop dat het zover komt.'

Ze dronken van hun koffie.

'Het is de bedoeling dat het boek in het voorjaar uitkomt,' vertelde hij. 'Ik heb nu zo'n tachtig pagina's af.'

'Zou je als tegenprestatie iets voor mij willen doen?' vroeg ze.

'Je zegt het maar,' antwoordde hij terwijl hij haar aankeek.

'Ik zou je een persoonlijke vraag willen stellen,' zei ze.

Hij glimlachte. 'Waarom niet? In het boek ben ik onbeschaamd openhartig. Brand maar los.'

'Die avond dat Thea Marshall die dodelijke val maakte,' zei Kay, 'was ze toen op weg naar jou?'

Hij verstrakte. Zijn ogen met de donkere kringen eronder namen haar indringend op. 'Hoe kom je daar in godsnaam bij?'

'Of ging ze daarginds heen met het oog op haar werk?'

'Welnee,' antwoordde hij. 'Geen sprake van. Een paar weken daarvoor had ik haar dat juist gevraagd en had ze de hoorn erop gegooid.' Zuchtend keek hij naar zijn kopje. 'Twintig jaar lang was het dan weer aan, dan weer uit tussen ons,' vertelde hij. 'Bijna al die tijd was zij getrouwd met een stinkend rijke man, die ze niet wilde laten schieten. Daar was ze in elk geval eerlijk over. Ze was in armoede opgegroeid en was doodsbang om net zo te eindigen. Bij mij zat die kans er volgens haar dik in, want ik was toen al een zware drinker. Haar man daarentegen was president-directeur van U.S. Steel en dronk haast geen druppel. Ook wat haar carrière betrof had dat huwelijk haar geen windeieren gelegd.' Sam rechtte zijn rug en schudde zijn hoofd. 'Nee, ze nam geen risico's,' zei hij. 'Ze was op weg naar huis, dat stond ook in de krant. Ze kwam uit Nova Scotia. Haar voorouders waren vissers.' Hij nam nog een slok koffie.

Terwijl Kay hem gadesloeg, zei ze: 'Indertijd deed het gerucht de ronde dat ze zomerkleren had ingepakt.'

Hij keek haar aan.

'Toen ze viel, sprong een van haar koffers open.'

'Van wie heb je dat gehoord?' vroeg hij.

'Van iemand uit hun naaste omgeving.'

Hij liet zijn kopje zakken en hield het met beide handen vast. Zette het neer en keek voor zich uit.

'Verdomd...' Hij krabde eens achter zijn oor. Keek haar aan. 'Weet je, dat zou best eens kunnen kloppen,' zei hij. 'Hij heeft opdracht gegeven me uit de weg te laten ruimen. Ik vermoed dat hij brieven van me heeft gevonden, of dat ze hem uiteindelijk over onze verhouding heeft verteld.'

'Wàt zeg je?' zei ze.

Hij knikte. 'Een kennis van me die contacten had met de mafia heeft me gewaarschuwd. Ik geloofde hem niet. Toen heb ik dit opgelopen.' Hij wees op zijn neus en wang. 'Het leek me een goed idee om maar eens een poosje op reis te gaan. Dat was de voornaamste reden dat er abrupt een einde aan mijn carrière is gekomen.' Hij tuurde voor zich uit. 'Verrek,' zei hij. 'Ik dacht dat hij overdreven reageerde, maar als ze bij hem wegging en naar mij toe kwam...'

Kay nam hem aandachtig op.

Glimlachend keek Sam haar aan. 'Ik ben ervan overtuigd dat het gerucht op waarheid berustte,' zei hij. 'Als je iets hoort dat op het tegendeel wijst, wil ik het niet horen.'

Ze glimlachte. 'Ik kan zwijgen als het graf,' zei ze.

'Zomerkleren...'

'Badpakken en zomerjurken.'

'Nu sta ik dubbel bij je in het krijt,' zei hij.

Ze vroeg hem waar zijn reizen hem heen hadden gevoerd. Terwijl ze hun koffie opdronken, vertelde hij haar over een commune in New Mexico waar hij vier jaar had gewoond. Hij overwoog zelfs om daar een hoofdstuk van zijn boek aan te wijden. Een titel had hij nog niet bedacht.

'Hoor eens,' zei hij toen ze opstonden. 'Vrijdag over een week, de tweeëntwintigste, geef ik een feest. Heb je zin om ook te komen? Stuart komt ook.'

'Ik ga de drieëntwintigste naar huis, al heel vroeg,' zei ze. 'Maar ik kom in elk geval een uurtje langs.'

'Fijn,' zei hij terwijl ze naar de deur liepen. 'Het begint om acht uur. Je vriend is ook welkom.' Hij keek haar glimlachend aan. 'Een poosje geleden zag ik dat jullie elkaar op de hoek van de straat een kus gaven. Zet mij aan een raam op drie hoog, en ik verander op slag in een voyeur.'

'Wie niet?' was haar reactie.

'Zeg maar tegen hem dat ik zijn smaak kan waarderen. Wat jammer van die Naomi... hoe heette ze ook alweer... Singer?'

Bij de deuropening bleef Kay staan. Ze keek hem aan.

'Dat meisje dat uit het raam is gesprongen,' zei Sam. 'Die vrouw, bedoel ik.'

Ze staarde hem aan.

'Ai,' zei hij. 'Heb ik mijn mond voorbijgepraat? Ik heb ze maar één keer samen gezien. Toen zaten ze te eten, maar ze kusten elkaar niet. In Jackson Hole.'

Hij pakte zijn jas van de kapstok en zei Sara gedag.

Toen wendde hij zich weer tot Kay. 'Tot de tweeëntwintigste,' zei hij terwijl hij haar de hand schudde. 'Informeel. Werkloze acteurs.'

'Het wordt vast heel gezellig,' zei ze glimlachend.

Kay keek omhoog naar de videocamera. Draaide haar hoofd en keek van Dianes kastanjebruine haar en de oorspronkelijke donkerblonde kleur die begon uit te groeien, naar de verspringende nummers boven de deur. Tot twintig.

Terwijl ze haar jas ophing, ging de telefoon. Ze pakte Felice op en zette de poes op haar schouder. Kuste en aaide haar. Knipte het licht in de keuken aan en pakte de hoorn van het toestel voordat de bel een derde keer kon overgaan.

'Hallo,' zei ze.

'Hoi, liefje. Is er iets?'

'Jij mag het zeggen,' zei ze. 'Vertel me bijvoorbeeld maar eens over Naomi Singer.'

Felice begon te spinnen. Kay streelde haar en kuste haar vacht.

'Ik snap niet goed wat je bedoelt...'

'Naomi Singer,' zei ze. 'Die ben je toch zeker nog niet vergeten? Ze was een jaar of dertig, geloof ik. Werkte voor Channel Thirteen.' Ze aaide Felice.

'Kay, wat heeft dit te betekenen?'

'Sam was vandaag op kantoor,' zei ze. 'Ik moest van hem zeggen dat hij je smaak wat vrouwen betreft kan waarderen.' Ze hurkte en liet Felice van haar schouder op de grond springen. 'Hij heeft jullie samen gezien,' vertelde ze en ging rechtop staan. 'In Jackson Hole.' Ze verplaatste de hoorn van haar rechter- naar haar linkeroor. 'O. Ja, dat kan best. Ik heb er een keer met haar gegeten... We waren op een zondagmiddag naar een jazzconcert in de Kerk van de Hemelse Rust geweest, en op de terugweg zijn we bij Jackson Hole een hapje gaan eten. Denk je soms dat ik een grote liefde voor je verborgen probeer te houden? Dat was het niet, liefje. Ik ben alles bij elkaar tweemaal met haar uit geweest, naar dat concert en daarvoor nog een keer. Het klikte niet tussen ons.'

'Waarom heb je me dat nooit verteld?' wilde Kay weten.

'Er viel niets te vertellen. Heb jij me verteld over alle mannen met wie je wel eens een hamburger bent gaan eten? Fysiek trok ze me aan, ze leek in de verte wel een beetje op jou, en ze werkte bij de televisie. Ik heb haar in de postkamer aangesproken. Toen zijn we bij Hanratty's wat gaan drinken. Maar het klikte niet. Ze was nogal somber en gesloten.'

'Vida zei anders dat ze heel vrolijk was.' Kay keek naar Felice, die op haar achterpoten stond en de doughnuts van kurk bewerkte.

'Misschien was ze vrolijk als ze bij Vida was, maar bij mij was ze somber en gesloten. Een paar weken na onze kennismaking belde ze me op een zondag op en vroeg of ik meeging naar dat concert. Waarom niet, dacht ik. Het was een mooie dag en ik was de deur nog niet uit geweest. Ze was nog steeds somber en gesloten. Einde verhaal. Een paar weken later...'

'Toch had je me dat moeten vertellen,' zei ze. 'Ik snap niet waarom je dat niet hebt gedaan.'

'Ik heb niet tegen je gelogen. Je hebt niets gevraagd. Hoor eens, Kay, ik praat er niet graag over. Ik vond achteraf dat ik beter naar haar had moeten luisteren, signalen had moeten opvangen, of haar op de een of andere manier had moeten helpen.'

Ze zuchtte. 'Je kunt je zoiets niet verwijten...'

'Dat weet ik wel, maar zo voel ik het nu eenmaal. Daarom begin ik er niet graag over. Als Sam wil praten over wie wat met wie heeft gedaan, kan ik je staaltjes vertellen van toneellessen...'

'Stil, Pete,' zei Kay. 'Dat wil ik niet weten.' Ze bukte zich pijlsnel en griste het waterbakje weg net toen Felice wilde gaan drinken. Ze liep ermee naar de gootsteen en gooide het water weg.

'Het irriteert me erg dat hij probeert het tussen ons te verzieken.'

Met de rug van haar hand zette ze de kraan open. 'Zo is het helemaal niet gegaan,' zei ze terwijl ze het bakje onder het stromende water uitspoelde.

'Zo te horen is dit precies waarvoor je me hebt gewaarschuwd: een oude man die jaloers is en agressief doet.'

'Hij heeft ons uitgenodigd voor een feest.' Ze liet het bakje vollopen. 'Hij heeft gezien dat we elkaar op de hoek van de straat stonden te kussen. Stuart heeft zijn boek geaccepteerd.'

'Heb je hem verteld wie ik ben?'

'Natuurlijk niet,' zei Kay terwijl ze het bakje op de grond zette. 'Maar daar komt hij nog wel achter. Zodra hij iets inlevert waar je moeder in voorkomt, vertelt Stuart, of Norman, of iemand anders, hem dat ik bevriend ben met haar zoon. Waarom vertel je het hem niet zelf? Hij zal heus niet meteen verband leggen tussen jou en de stichting.' Toen Felice begon te drinken, aaide Kay de poes over haar kop. 'En als hij dat wel zou doen,' zei ze, 'nou, dan kan het nog geen kwaad.'

'Kom maar naar beneden, dan praten we verder. Vida is terug. Ze heeft zich toch nog laten opereren. En Liz krijgt de praatgroep op bezoek.'

'Hè, verdorie,' zei ze. Ze draaide zich om en deed de kraan dicht. 'Ik kan vanavond niet kijken, want ik móet mijn leesachterstand wegwerken.'

'Ben je nog boos op me? Nee toch?'

'Nee, nee,' zei ze terwijl ze haar schoenen uitschopte. 'Maar echt, schat, ik ben zo ver achter, dat het niet leuk meer is. Ik heb me vandaag door een bespreking heen moeten kletsen en dat beviel me helemaal niet. Kom straks maar naar boven. Goed?'

'Prima. Ik hou van je.'

'Ik hou van jóu,' zei ze. 'Heb je genoeg te eten?'

'Meer dan genoeg. Tot straks.'

Ze maakten kusgeluiden en verbraken de verbinding.

Ze staarde naar de woorden op het papier en vroeg zich af of hij haar weer had voorgelogen. In ieder geval had hij bewezen dat hij daar een meester in was. De leugens rolden hem vlot van de tong, hij verblikte of verbloosde niet...

Stel dat het tussen hem en Naomi wel, of een beetje, had geklikt, en dat hij een verhouding met haar had gehad? Was hij met haar naar 13B gegaan? Was ook zij verslaafd geraakt aan het kijken?

Ja, verslaafd was het goede woord. Je bekeek het leven – een klein stukje ervan – alsof je God zelf was...

Hield hij haar in de gaten, nu, terwijl ze naar de woorden op het papier zat te staren? Om te zien of ze wel echt las, of dat er allerlei vragen door haar hoofd spookten? Had hij de schakelaars omgezet, de knoppen ingedrukt en haar op scherm één of twee gezet?

Ze sloeg de pagina om...

Haar verbeelding begon haar parten te spelen.

Maar het was heel goed mogelijk dat hij, dank zij de videotovenarij van Takai of Sakai of Banzai, naar haar zat te kijken. Hij kon als het ware over haar schouder heen meelezen. Geen wonder dat Hubert Sheer naar Japan was gegaan om daar research te doen...

Ze concentreerde zich op de woorden. De achterstand was zo groot, dat het niet leuk meer was...

De zoveelste seriemoordenaar. Kom, jongens, verzin eens wat anders.

Ze las een pagina of tien van het manuscript. Met blauw potlood zette ze op het bijbehorende formulier van Diadem: *Niets voor ons.* Legde het weg.

De verleiding was groot om omhoog te kijken naar de lamp. In plaats daarvan krabde ze aan haar hals en pakte het volgende manuscript.

Huwelijksproblemen. Niet zo rampzalig als bij de Hoffmans en de McAuliffs, maar geloofwaardig, goed geschreven, heel boeiend.

De telefoon ging.

Ze keek naar het toestel. Pakte bij de tweede bel de hoorn op.

'Hallo?'

'Met Kay zelf? Niet met het antwoordapparaat? Grote goden, ik kan mijn oren niet geloven.'

'Hoi, Roxie,' zei Kay. 'Sorry, ik heb het razend druk gehad.'

'Dat kan ik me voorstellen. Hoe gaat het met je Jonge Blauwoog?'

'Uitstekend,' antwoordde ze. Luisterde hij mee?

'Raad eens wie er volgend jaar april gaat exposeren in de Greene Street Gallery?'

'O god, Roxie,' zei ze. 'Dat is fantastisch! Welgefeliciteerd! Vertel!'

Roxie vertelde, ook over het ongeluk dat Fletchers moeder was overkomen, over hun plannen voor Kerstmis en over een film die ze hadden gezien. 'Alles goed met jou?'

'Prima,' zei Kay. 'Ik ben alleen wéken achter met lezen.'

'Zeg dat dan meteen! Daag, daag. We gaan zondag schaatsen. Ga je mee?'

'Ik zal het er met Pete over hebben. Ik bel je nog. Daag. Groeten aan Fletcher.' Ze legde neer.

Las verder.

Krabde aan haar hals.

Ging onder de douche.

Zag iets bewegen achter het beslagen glas. De deur schoof open en een naakte, glimlachende Pete stapte naar binnen. 'Verrassing,' zei hij terwijl hij haar onder de straal omhelsde. Even deinsde hij terug, zo warm was het water. Hij danste op en neer. 'Au, au...' Kay snakte naar adem. 'Zeg, aan dit soort *Psycho*-toestanden heb ik geen behoefte,' zei ze.

'Sorry.' Hij trok haar dicht tegen zich aan en kuste haar op haar wang. 'Ik heb heel even naar je gegluurd. Toen ik zag dat je onder de douche ging, dacht ik: Jezus, ik kan zomaar naar boven gaan en bij haar onder de straal stappen. Die verleiding kon ik niet weerstaan.'

'Ik wist wel dat je naar me keek,' zei ze.

'Ik wist dat jij het wist,' zei hij glimlachend. 'Het idee alleen al wond me op...'

Ze wendde zich af. Hij legde zijn vingers onder haar kin, draaide haar gezicht naar zich toe en keek haar aan. 'Ik heb niet gelogen, liefje,' zei hij. 'Echt niet. Ik ben twee keer met haar uit geweest, punt, uit. Als het meer was geweest, had ik het je verteld. Ik neem het je niet kwalijk dat je twijfelt, want ik heb je andere keren wel voorgelogen. Maar dit is de waarheid. Ik zweer het.' Hij kuste en omhelsde haar.

Onder het stromende water liefkoosde ze hem met haar tong.

Ze wist niet dat hij een loper had, maar dat had ze kunnen bedenken. Zelfs als iemand zijn slot liet vervangen, lagen er reservesleutels in Dmitri's kantoortje, waar hij ongehinderd kon binnenlopen.

De volgende ochtend belde Kay de afdeling publiciteit. Tamiko nam op.

'Hoi. Zou je iets voor me willen doen, meid?' zei ze. 'Zou je me de kranteknipsels kunnen bezorgen over de sterfgevallen in de flat waar ik woon? Ik moet me toch eens op de hoogte stellen. De laatste keer was eind oktober, Hubert Sheer, met dubbel E.'

'Dat zit vast in een van de databanken waar we op geabonneerd zijn. Heb je daar al gekeken?'

'Daar had ik nog niet aan gedacht,' zei Kay. 'Daar kijk ik nooit.'

'Het adres is Madison Avenue 1300, hè?'

'Klopt.'

'Ik trek het wel even na. Als er niets in zit, bel ik iemand bij de *Times*. Kleine moeite.'

'Reuze bedankt alvast,' zei Kay.

'Wat hoor ik over jou en een droomprins?'

'We zijn goede vrienden,' antwoordde Kay.

Toen haar bezoek om half elf wegging, bracht Sara een grote envelop van de afdeling publiciteit binnen. Er zat een computeruitdraai in, op harmonikapapier, ruim een centimeter dik.

Kay las berichten over buurtbewoners die zich hadden verzet tegen de plannen die door Barry Beck waren ingediend om een torenflat met twintig woonlagen te bouwen op het perceel Madison Avenue 1300. Over Civitas en Carnegie Hill Neighbors die in het geweer kwamen, bijeenkomsten in de Brick Church, een rechtszaak die zich drie jaar voortsleepte en werd verloren. Toen was ze halverwege.

Ze las over de dood, naar men aannam veroorzaakt door drugs, van William G. Webber, 27, veiligheidsadviseur, die woonde aan Madison Avenue 1300.

Inderdaad, stond er in latere berichten, de dood van William G. Webber was veroorzaakt door een gigantische overdosis cocaïne. Hij was zowel dealer als gebruiker geweest; kennelijk had hij zijn versneden en onversneden handelswaar verwisseld. Gelukkig hadden zijn maats minder genomen dan hij.

Kay haastte zich naar de marketing-vergadering van elf uur, waar ze geen kwaad kon doen, met vier boeken op de best-sellerlijst van aanstaande zondag, twee fiction, twee non-fiction.

June vroeg of ze op zaterdag 6 januari kwam eten, 'met Peter, of met iemand anders.'

Kay antwoordde dat ze graag zou komen, hoogst waarschijnlijk met Pete.

Ze nam een Britse agent mee uit lunchen in Perigord East.

Zei tegen Sara dat ze niet gestoord wilde worden.

Las over de zelfmoord van Naomi Singer, die uit het raam van haar flat op de vijftiende verdieping van Madison Avenue 1300 was gesprongen. In het bericht werd melding gemaakt van de fatale hartaanval een jaar daarvoor van een andere huurder, Brendan

Connahay, 54, en van de overdosis cocaïne die een derde huurder, William G. Webber, 27, dáárvoor had ingenomen.

Naomi Singer, 31, was produktieassistente bij WNET-TV geweest. Ze had zich op een donderdagmorgen ziek gemeld en was even voor twaalf uur 's middags uit het raam van haar woonkamer gesprongen. Mevrouw Singer, afkomstig uit Boston en afgestudeerd aan het prestigieuze vrouwencollege Wellesley, woonde pas drie maanden in New York. Ze liet een met de hand geschreven brief van één kantje achter waarin ze uiting gaf aan 'haar sombere kijk op de wereld en haar privé-aangelegenheden' en waarin ze 'haar familie en vrienden haar verontschuldigingen wilde aanbieden'. Psychische problemen en drugs kwamen in haar levensverhaal niet voor.

De vrienden en collega's van Naomi Singer, 31, die zich op Madison Avenue 1300 uit het raam had gegooid, waren verbijsterd. Een zekere Barbara Ann Avakian werd geciteerd: 'Hoewel Naomi zich grote zorgen maakte over het milieu en de schending van de mensenrechten, had ze een positieve instelling. Gedurende de korte periode dat ze in deze flat woonde, had ze talloze vrienden gemaakt. Bovendien werkte ze met enthousiasme aan een nieuw project: een documentaire over daklozen. Ik begrijp werkelijk niet hoe ze zoiets afschuwelijks heeft kunnen doen.'

Kay las over de dood van Rafael Ortiz, 30, de conciërge van Madison Avenue 1300, wiens hoofd en linkerarm gedeeltelijk waren afgehouwen in de liftschacht. Hij was op een dinsdagochtend vroeg aan zijn gebruikelijke onderhoudsronde bezig geweest. Zulke ongelukken kwamen slechts sporadisch voor en werden vrijwel altijd in verband gebracht met het gebruik van drugs of alcohol, aldus een woordvoerder van de liftfabrikant. De dood van Ortiz was het vierde sterfgeval in de flat in krap twee jaar. Hij liet een zwangere vrouw en twee kinderen achter.

De sectie op Rafael Ortiz, 30, die gedeeltelijk onthoofd werd door het liftmechaniek in Madison Avenue 1300, wees niet op recent gebruik van drugs of alcohol.

Edgar P. Voorhees, een advocaat die de 1300 Madison Avenue Corporation vertegenwoordigde, weigerde commentaar op de snelle minnelijke schikking die was getroffen nadat de weduwe van wijlen Rafael Ortiz, 30, tien miljoen dollar had geëist van de eigenaar van de ongelukswoontoren in Upper East Side...

Kay las over de dood van Hubert Sheer, 43, die in Madison Avenue 1300 in zijn douchehokje werd aangetroffen.

Ze las nogmaals over *The Worm in the Apple*, zijn tijdschriftartikelen, zijn docentschap aan de Columbia University en de universiteit van Chicago, zijn ouders en broers die achterbleven.

Opnieuw las ze het commentaar van Martin Sugarman: 'Hij was bezig aan een boek dat zeker een belangrijke publikatie zou zijn geworden, een overzicht en een analyse van verleden, heden en toekomst van de televisie. Zijn dood is een verlies, niet alleen voor een ieder die hem kende, maar voor de gehele samenleving, die ongetwijfeld van zijn inzichten had kunnen profiteren.'

De sectie op Hubert Sheer, 43, wees uit dat hij was verdronken in zijn douchebak. Hij was bewusteloos geraakt doordat hij op zijn hoofd was gevallen. Om het gips om zijn rechtervoet, die hij de week ervoor had gebroken bij een fietsongelukje, had hij een plastic tas gebonden. Hij was in de nacht van 23 op 24 oktober overleden – het vijfde sterfgeval in drie jaar op Madison Avenue 1300, de Verticale Doodskist.

Kay sloeg de uitdraai dicht en legde haar handen erop, plat naast elkaar. Ze trommelde langzaam met haar vingers. Ze had veel te veel griezelverhalen en thrillers geredigeerd, hield ze zich voor. Dodelijke valpartijen in het werkelijke leven waren vrijwel altijd ongelukken, zeker in douchehokjes.

Naomi Singers met de hand geschreven brief van één kantje kon onmogelijk vervalst zijn.

Hoewel?

Ze zat te kijken naar haar handen die roffelden op de platte harmonika van de computeruitdraai.

Kay vroeg Sara of ze Martin Sugarman voor haar wilde bellen.

Met haar duim streek ze langs een hoekje van de stapel papier. Veel te veel griezelverhalen en thrillers...

'Hallo, Kay!'

'Hallo, Martin,' zei ze. 'Hoe is het met je?'

'Prima, dank je. Gefeliciteerd! Jullie lopen daar zeker met je hoofd in de wolken!'

'Dank je,' zei ze. 'Ik heb inderdaad nog geen klacht gehoord. Martin, ik heb net de berichten over de dood van Hubert Sheer nog eens doorgelezen...'

'O ja?'

'Weet jij toevallig,' vroeg ze, 'of hij van plan was om op bezoek te gaan bij een Japans bedrijf dat Takai of Sakai heette? Fabrikanten van beveiligingscamera's. Het neusje van de zalm, naar men zegt.'

'Ik heb een lijst met zijn afspraken en al zijn papieren die betrekking hadden op het boek. Ik heb de opdracht aan een andere auteur gegeven. Waarom wil je dat weten?'

Kay haalde eens diep adem. 'Ik ben me aan het verdiepen in die vijf sterfgevallen in mijn flat,' antwoordde ze. 'Wie weet zit er een boek in. Zou je voor me op die lijst kunnen kijken? Dat zou ik zeer op prijs stellen.'

'Natuurlijk, vanzelfsprekend. Wacht maar even.'

Ze leunde achterover en draaide haar stoel. Keek naar de glazen kantoren aan de overkant, waar hier en daar al licht aanging. Te veel griezelverhalen en thrillers...

'Mijn secretaresse zoekt hem op. Kay, als ik bedenk wat voor soort boeken jij redigeert, zou het me niet verbazen als je dacht dat er een luchtje aan de zaak zit. Ik kan je meteen wel vertellen dat je op het verkeerde spoor zit, zeker wat Rocky's dood betreft.'

'Hoezo?' vroeg ze.

'Tijdens zijn val is hij met zijn slaap tegen de douchekraan gevallen, zo hard, dat hij bewusteloos raakte. Hij is op zijn knieën terechtgekomen, met zijn gezicht omlaag. Hij heeft water in zijn longen gekregen en is verdronken. Zo is het gebeurd, geen twijfel mogelijk. De vorm van de kneuzing kwam precies overeen met de douchekraan. Dat is een apart model – dat kun jij weten, want je hebt er net zo een – en het is absoluut onmogelijk dat iemand hem daar met zijn hoofd omlaag zo hard tegenaan heeft geduwd dat hij bewusteloos is geraakt. Op die gebroken enkel na was hij een sterke, gezonde man. En er was niemand anders in huis, hij had die avond geen bezoek gehad en er was niet ingebroken.' Er ritselde papier. 'Hier heb ik de lijst. Hoe heette dat bedrijf ook alweer?'

'Takai of Sakai,' zei ze. 'Of iets dat erop lijkt.'

'Takai of Sakai... Ja, de Takai Company – T, A, K, A, I – in Osaka. Hij zou er dinsdag 31 oktober heen gaan, om acht uur 's morgens. Acht uur... Geen wonder dat ze daar zoveel werk verzetten. Hij heeft een aantekening gemaakt... "H. res. cam."... Camera's met een hoge resolutie zal dat wel betekenen. "Douane en inkl..."'

'Het douanekantoor en de inklaring,' zei ze.

'Ja, dat zou kunnen. Waarom vraag je juist naar dat bedrijf?'

Kay zweeg.

'Kay?'

'Dat is te ingewikkeld om je nu uit te leggen,' zei ze. 'Bedankt, Martin.'

'Heb je gehoord wat ik zei? Het was een tragisch ongeluk. Het kan onmogelijk iets anders zijn geweest.'

Kay zei: 'Ik heb het gehoord.'

'Wil je Norman en June mijn gelukwensen overbrengen?'

'Ja, dat zal ik doen,' zei ze. 'Nogmaals bedankt, Martin. Tot ziens.'

Ze legde de hoorn op het toestel.

Nu zat hij zich ongetwijfeld af te vragen of ze wel goed bij haar verstand was.

Dat vroeg ze zichzelf trouwens ook af.

Ze bedacht dat iemand de art-decokraan van elke douche in Madison Avenue 1300 af kon halen, met een schroevedraaier of zo, en die kon bevestigen aan een houten lat, aan een baseballbat of iets dergelijks...

Pete? Petey? Haar jonge minnaar?

Nee, daar was hij absoluut niet toe in staat.

Liegen, dat kon hij. Maar dat was ook geen wonder als je moeder actrice was en je vader president-directeur van een groot bedrijf.

Maar een leugen was héél iets anders dan een moord. Een moord was...

Een moord was iets heel spannends...

10

Ze keken naar de Wagnalls, de Bakers. Naar de Ostrows, de gast
van de week van Yoshiwara Company en zijn genodigden.
Kay nam Pete op terwijl hij zat te kijken.
Hij wierp haar een zijdelingse blik toe.
Ze glimlachte. 'Weet je wat ik wel eens zou willen zien?'
'Wat dan?' vroeg hij.
'Ons,' zei ze.
Hij begon zachtjes te lachen. 'Ik was al bang dat je dat nooit zou
vragen.' Hij boog zich naar haar toe en ze kusten elkaar. 'Niet weg-
gaan,' zei hij.
Pete draaide zijn stoel om, stond op en liep naar de gang.
Ook Kay liet haar stoel draaien. Ze rolde ermee opzij tot haar stoel
tegen de zijne botste. Keek hem na. Hij liep de gang door, naar de
achterkamer. Het licht ging aan, waarna hij tussen de dozen en andere rommel door naar binnen liep. Hij sloeg links af en verdween
uit het zicht.
Kay draaide zich terug en stak haar hand uit. Ze drukte op de middelste knop van 13A, en de knop van scherm twee.
Op scherm twee zag ze hem in het schemerdonker naar de hoek
links onder in het beeld lopen. Hij knipte het licht aan in zijn rom-
melige, in Habitat-stijl ingerichte slaapkamer en deed de deur
dicht. Tussen de deur en de kastenwand keerde hij zich naar de
wand en hurkte neer. Zo te zien tilde hij iets op.
Zijn hoofd en schouders onttrokken aan het zicht wat hij deed.
Hij stond op en draaide zich om, met een cassette-achtig iets in zijn
hand.
Kay drukte een ander knopje en dat van scherm twee in. Haar rechterhand trilde zo, dat ze hem met haar linkerhand moest sturen. Ze
keek naar de Gruens, die met twee heren zaten te bridgen.
Ze liet haar blik over de monitors dwalen. Zag dat Denise in de

woonkamer van 5B ruzie maakte met Kim, zette hen op scherm één.

'...baan. Die zet ik niet op het spel voor een armzalig bedrag van vijfhonderd dollar!' zei Denise. Ze gooide haar servet op tafel, stond op en ging uit het raam staan kijken. 'Denk je soms dat ik gek ben?'

'Nu komt er iets heel moois,' zei Pete toen hij binnenkwam.

Kay stak haar hand op.

'Kun je voor de verandering misschien eens proberen om helder te denken, Denise?' zei Kim terwijl ze room in haar koffie deed.

Pete ging zitten, draaide zijn stoel terug en haalde een band uit de zwarte cassette.

'Uiteindelijk kun je er vier- of vijfduizend dollar mee verdienen,' zei Kim. 'Nog meer zelfs. Belastingvrij. En mag ik nu misschien één sigaretje roken, verdomme?'

Ze keken naar Denise en Kim.

Naar de Bakers, de Coles.

Kay zag dat Pete een knop indrukte van de rechter video. Hij stopte de band in de gleuf en duwde hem naar binnen. Toetste nog een paar knoppen in en zette een schakelaar in het midden om.

Ze keken naar zichzelf op scherm twee.

'Jezus, wat ben ik dik,' zei ze.

'Hoe kom je erbij,' zei hij. 'Je bent precies goed zo...'

'O god, liefje, dat is lekker,' zei ze, achterover liggend op het bed, terwijl zijn hand haar rechterborst streelde en zijn hoofd zich over de linker boog.

Pete pakte haar arm. Kay stond op, zonder haar blik van het scherm af te wenden, en ging op zijn schoot zitten.

Ze keken naar Kay en Pete.

Kay besloot om de volgende dag, vrijdag, thuis te blijven werken. Dat was ze eigenlijk niet van plan geweest, maar ze was te moe om vroeg haar bed uit te komen.

'Ik moet vanmiddag weg,' zei Pete. Hij steunde met een elleboog op de ontbijtbar en keek naar een broodje dat in de magnetron lag. Felice stond op zijn schouder en snuffelde aan de bovenkastjes.

'Dat komt goed uit,' zei Kay terwijl ze koffie inschonk. 'Ik moet echt eens serieus aan het werk. Waar ga je heen?'

'O, de stad in,' antwoordde hij glimlachend. 'Kerstcadeautje kopen. Voor iemand die jij toch niet kent.'

Hij hielp haar met de afwas. Bij de deur kusten ze elkaar. 'Bel nog even voor je weggaat,' zei ze.

Hij keek haar glimlachend aan. 'Ik hou van je,' zei hij.

'Ik hou van jóu, Pete,' zei ze, hem in zijn ogen kijkend.

Ze kusten elkaar.

Kay belde Sara en gaf haar opdracht haar besprekingen af te zeggen, namens haar verontschuldigingen aan te bieden en nieuwe afspraken te maken.

'Voel je je niet lekker?'

'Ik voel me prima,' zei Kay. 'Maar mijn achterstand is groter dan ik had gedacht.'

Om nog maar te zwijgen van het feit dat ze bezig was gek te worden. En ook nog geen enkel kerstcadeautje had gekocht.

Ze zat aan haar bureau te lezen. Felice lag op bed te slapen.

Om 13:37 belde hij. 'Gaat het een beetje?'

'Redelijk,' zei ze. 'Er begint schot in te komen.'

'Slecht nieuws. Allan heeft de zak gekregen.'

'Verdomme,' zei ze. 'De rotzakken...'

'Vrijwel de hele afdeling.'

'Hoe is hij eronder?' vroeg ze.

'Hij houdt zich flink. Babette is in alle staten. Ik ga nu weg. Om een uur of vijf ben ik terug.'

'Ik was net van plan om naar beneden te komen,' zei Kay. 'Dan kan ik even kijken terwijl ik een bakje yoghurt eet.'

'Heb je daar zin in? Dan stop ik de sleutel achter de spiegel.'

'Vind je dat goed?' zei ze. 'Ik voel er veel voor.'

'Je weet hoe je de boel aan de praat moet krijgen?'

'Ja, hoor,' zei ze.

'Tot straks dan.' Een kus.

Ze beantwoordde zijn kus. 'Ik hou van je,' zei ze.

'En ik hou van jou.' Kus, nog een kus.

Ze verbrak de verbinding. Staarde naar de pagina voor haar. Probeerde een cadeau voor hem te bedenken. Misschien iets voor aan die kale wanden.

Ze las nog een paar minuten door, daarna knipte ze de lamp uit en zette ze het antwoordapparaat aan. Stond op, ging naar de W.C., waste haar handen. Pakte haar sleutels. Zei tegen Felice dat ze niet lang wegbleef. Ging via de trap naar de dertiende verdieping.

Welbeschouwd zag ze er niet eens zo slecht uit. Ze trok een hoekje van de goudomrande spiegel van de zwart-met-wit-geruite wand.

De sleutel glipte uit het kommetje van haar hand en viel rinkelend op de tafel. Er bleef een halve-maanvormig deukje achter in het gelakte blad. Ze likte aan haar vinger en wreef over het plekje. Het deukje bleef.

Ze maakte de deur van 13B open en ging naar binnen. Knipte het ganglicht aan terwijl ze de deur dichtdeed. Stak de sleutel in haar zak. Keek naar de grijze, glimmende schermen in de woonkamer, naar de keuken, de halfopen deuren van de onverlichte badkamer en de donkere achterkamer.

Ze liep naar de achterkamer en duwde de deur verder open. Op de smalle lamellen van de zonwering viel zonlicht, dat zijn schijnsel wierp op de werkbank, het gereedschap en enkele ongebruikte monitors, op de metalen omkasting van de transformator die in het hoekje bij het raam stond, de home-trainer, dozen en allerlei andere rommel...

Kay liep naar de middelste kast en schoof de harmonikadeur open. Stak haar hand naar binnen en opende de deur van multiplex. Boog zich naar binnen en liep, tussen kleren en harmonikadeuren door, de zonnige blauw-met-beige Habitat-slaapkamer binnen. De zonwering was bijna helemaal omhooggetrokken en het raam stond aan beide zijden op een kier.

Ze keek de kamer rond. Overal slingerden kleren. 'Pete?' riep ze. Ze liep naar de deur. Keek door de gang de woonkamer binnen. Zag de zijkant van de beige leren bank, de blauwe hemel boven een gebouw aan Park Avenue.

Ze deed de deur dicht. Keerde zich naar de wand en hurkte neer. Betastte het parket. De houten delen waren glad en sloten naadloos op elkaar aan. Ze duwde en drukte. Niets gaf mee, niets verschoof. Ze probeerde de plint, die een centimeter of tien hoog was en ongeveer een meter breed. Pakte hem beet en trok. Hij gaf niet mee, al zat er een kier tussen de plint en de witte wand. Ze duwde aan de ene kant, duwde aan de andere kant.

Toen herinnerde ze zich de beweging die hij had gemaakt. Ze probeerde de plint op te tillen.

De lat gaf mee. Aan beide kanten gleed een sleuf over een metalen lip; één was aan de deur en één aan het frame van de kast bevestigd. Ze legde de plint naast zich neer en trok aan een greep van grijs metaal, waarna een brede, ondiepe la van hetzelfde materiaal te voorschijn kwam. Er lagen briefjes van honderd en vijfhonderd dollar in, vijf bundeltjes met een papieren bandje eromheen. Drie met biljetten van honderd, twee met biljetten van vijfhonderd. Een doos van roodbruin leer ter grootte van een sigarenkistje, bruine enveloppen. Cassettes.

Drie zwarte houders lagen naast elkaar op de andere exemplaren. Ze pakte er een. In het etiket op de rug was een K gekrast.

De volgende cassette, waar K2 op stond, was de band waar ze de vorige avond naar hadden zitten kijken. Ze nam hem in haar hand. Op de volgende cassette stond een R. Rocky?

Eronder lagen vier cassettes. N, N2, N3 en B. Over die B brak ze zich het hoofd, tot haar te binnen schoot dat William G. Webber, 27, Billy werd genoemd.

Ze zat op haar hurken en keek naar de cassettes die ze in haar hand hield.

Ze was bang dat haar verbeelding haar toch geen parten had gespeeld.

Hij had er meer dan twintig minuten voor moeten uittrekken, op deze vrijdag ruim een week voor Kerstmis. Ze kropen langs Seventy-second Street en zijn horloge stond al op 13:55.

Maar ach, het was een Checker-taxi, een relikwie uit het verleden. Hij had de ruimte en er was een klapstoeltje waar hij zijn benen op kon leggen. Leuk muziekje op de radio. Hij kwam te laat, nou en? Ze wachtten maar op hem...

Hij was op weg naar de Pace Gallery om er een keuze te maken uit twee Hoppers. Daarna ging hij naar Tiffany's.

Hij glimlachte, legde zijn voeten op het bankje en vouwde zijn handen.

Een prettige gedachte dat zij thuis in haar eentje zat te kijken. Zijn ene liefde genoot van zijn andere liefde...

Wie had ooit kunnen denken dat hij een vrouw zou vinden met wie hij dit kon delen, aan wie hij het zelfs een poosje kon toevertrouwen? Een volmaakte, liefdevolle vrouw. Hij had een zeker risico genomen door haar er deelgenoot van te maken, maar zijn vertrouwen was gerechtvaardigd geweest. Hij slaakte een zucht. Bestond er een gelukkiger man dan hij?

En dat terwijl hij laatst, door toedoen van Sam, de rotzak, op het randje van de afgrond had gebalanceerd. Wat een hachelijk ogenblik was het geweest toen ze hem plompverloren had gevraagd te vertellen hoe het met Naomi zat. Levensgevaarlijk!

God zij dank had hij haar ervan kunnen overtuigen dat hij niets te verbergen had. Gisteravond had de doorslag gegeven, toen ze er zo openlijk in op was gegaan en zelfs naar hen samen had willen kijken, waar ze ongeremd op had gereageerd...

Twee dingen waren nieuw voor haar: ze keek naar hen samen, en nu zat ze alleen te kijken...

Hij haalde zijn voeten van het klapstoeltje. Schoot overeind. Verkilde van binnen. Draaide zich om en keek naar buiten. Uit het open raam van een limousine die naast hem stond keek een doberman hem aan; de poten van de hond rustten op glanzend zwart.

Pete keek de andere kant op, naar het Frick Museum dat langzaam voorbijschoof...

Was het mogelijk dat zij naar hèm had gekeken toen hij die cassette was gaan halen?

Natuurlijk was dat mogelijk, stomkop.

Had ze daarom die band willen bekijken? Had ze op de een of andere manier de waarheid over Naomi geraden? De hele waarheid? Had ze ook door – ze was zo verrekte slim – dat hij alles had opgenomen en dat hij de band van hen sámen op dezelfde plaats bewaarde?

Ze zat alleen te kijken op een vrijdag dat ze thuiswerkte, ook iets dat nieuw voor haar was... En zijn afspraak stond op het klembord: het adres, de dag, het tijdstip. Hij had Pace Gallery niet voluit geschreven, want anders kon ze raden wat hij voor haar ging kopen.

Klote. Twee tellen geleden kon hij zijn geluk niet op, maar van het ene moment op het andere zat hij diep in de put.

Hij keek recht vooruit en boog zich voorover. Tuurde door de bekraste plastic tussenwand en de voorruit daarachter naar de lavastroom taxi's en bussen, vier rijen dik, die zich door Fifth Avenue perste.

'Jezusmina,' zei hij, 'wat een diepe ellende, verdomme.'

'Er is voor gewaarschuwd dat het vandaag zou vastlopen,' zei de chauffeur.

Pete haalde diep adem en ademde met een sissend geluid uit. Schudde zijn hoofd. 'Wat is het toch een godvergeten rotstad,' zei hij. Ging achterover zitten. Legde zijn benen weer op het klapstoeltje. Bestudeerde zijn Reeboks van alle kanten. Speelde met de franje van zijn wollen sjaal, luisterde naar het leuke muziekje.

Inwendig was hij verkild.

De aandacht waarmee ze naar zijn handen had gekeken toen hij de band in de video had gestopt en had overgeschakeld...
Was zij op dit moment bezig een band in de video te stoppen? N3 soms?
Er werd geclaxonneerd. De verkeersstroom was bevroren.
'Wilt u het via Park Avenue proberen?' vroeg de chauffeur.

Kay spoelde de band een eindje door. De badkamer bleef leeg achter witte strepen; de stok stond bij de deur van de douchecabine. Boven in beeld verscheen iemand en verdween weer.
Ze zette de band stil, spoelde terug. Draaide hem nog een keer af. De badkamer was leeg. De stok stond bij de deur van de douchecabine. Het water van de douche ruiste. Benen in jeans en gympjes liepen langs de deur naar de gang, van rechts naar links.
Kwamen terug, knielden.
Ze zette het beeld stil. Pete.
Hij zat gehurkt in de deuropening, in een gestreept rugbyshirt, en strekte een hand laag voor zich uit, alsof hij op het punt stond een muntje op te gooien.
Ze keek naar hem en zette hem toen weer in beweging. Hij gooide iets en richtte zich op. Stapte opzij en was verdwenen.
Ze keek naar de lege badkamer, maar kon niet zien wat hij op de zwarte vloer, een klein eindje bij de deur vandaan, in de richting van de badmat had gegooid. Wat het ook was, hij bevond zich in Hubert 'Rocky' Sheers appartement. En stond op het punt hem te doden.
Pete. Haar jonge minnaar.
Ze sloot haar ogen. Sloeg ze weer op. Zag de deur van de douchecabine opengaan. Sheers hand pakte de handdoek van het rekje.
Ze spoelde door tot hij te voorschijn kwam, met de handdoek om zich heen geslagen. Hij zette zijn in glimmend plastic gewikkelde voet over de rand en pakte de stok in zijn rechterhand. Deed een stap naar voren en bleef op de mat staan, met zijn hoofd omlaag. Bukte zich, steunend op de stok, zijn linkerbeen, met de glimmende voet, achter zich gestrekt, terwijl zijn linkerhand iets wilde oprapen. Hij wendde zijn hoofd naar de deuropening op het moment dat Pete, met beide handen, een glinsterende knuppel liet neerkomen.
Kay zette het geluid af, sloot haar ogen en rolde de stoel achteruit. Ze bracht haar vuist naar haar mond en beet op een knokkel.

Hij had de anderen ook gedood, dat kon niet anders. Hij was bang geweest dat Sheer, die gegevens verzamelde en hun samenhang bestudeerde... de samenhang zou ontdekken.

Ze deed haar ogen open en keek naar het heldere blauwwit van de monitors links. Chris en Sally, Pam, Jay, Lauren. Een man die ze nog niet eerder bij dr. Palme op de bank had zien liggen.

Ze haalde diep adem. Keek naar scherm twee. Pete boog zich over hoofd en schouders van Sheer, die voorover op de grond lag, en ging schrijlings over hem heen zitten. Er blonk iets ronds dat het licht weerkaatste bij het hoofd van Sheer... Een metalen bak.

Hij was bezig hem te verdrinken...

Kay rolde de stoel naar voren, stak haar hand uit, zette de band af en klikte de video open. Pakte de band eruit en legde hem naast de cassettehouder. Keek naar de zes andere banden die op het bedieningspaneel lagen.

De blauwe cijfertjes stonden op 14:06. Tijd genoeg om nog een stukje van N3 en B te kijken. Pete was waarschijnlijk net aangekomen op het afgesproken adres in Fifty-seventh Street.

Maar nee, misschien kwam hij eerder terug en betrapte hij haar op heterdaad, net als in al die griezelverhalen en thrillers. Misschien had hij zijn afspraak om de een of andere reden afgezegd en was er weer een stukje van zijn bouwwerk van leugens afgebrokkeld. De politie moest N3 en B later maar bekijken.

Dit was het moment dat ze moest maken dat ze weg kwam, met de banden, de flat en het gebouw uit. Ze zou een argeloos briefje achterlaten, om te voorkomen dat hij in paniek raakte en de benen zou nemen, of erger.

Hij was krankzinnig. Dat kon niet anders. Contactgestoord ondanks zijn charme, zijn gevoel voor humor en de liefde die hij haar had geschonken. En hij hield van haar, daar was ze van overtuigd. Die moorden waren waarschijnlijk allemaal gepleegd om het geheim van de camera's te kunnen bewaren. Om zijn speeltje van zes miljoen dollar te beschermen, zijn troetelkind. En zij had maar al te graag met hem meegespeeld.

Ze boog haar hoofd en wreef over haar gezicht. Ging rechtop zitten, streek met beide handen door haar haar en haalde diep adem. Keek naar de banden.

Kay rolde haar stoel naar rechts en duwde de zijne opzij. Trok een la open en pakte zeven cassettes uit de rijen die erin lagen.

Ze verwisselde de twee stellen banden en probeerde intussen te bedenken wat ze in het briefje moest zetten en waar het politiebureau was. Zijn arrestatie en de stormloop van de media die zou volgen, de krantekoppen, de microfoons en de publieke belangstelling – dat alles zette ze uit haar hoofd. Ze controleerde nog eens de etiketten van K en K2. Die gingen niet naar de politie, die verstopte ze boven om ze later open te breken en te vernietigen. Ze pakte de pen en merkte de nieuwe cassettehouders.

Met de stapel verkeerde-banden-in-goede-houders liep ze door de gang naar de achterkamer, en door de kastenwand naar zijn slaapkamer.

Op haar hurken gezeten ordende ze de ondiepe grijze lade zoals ze hem had aangetroffen. De N's en B onderin, de K's en R erbovenop, naast de doos van roodbruin leer, de enveloppen en de bundeltjes bankbiljetten van honderd en vijfhonderd dollar.

Kay keek even in de doos: gouden munten, series in hoesjes. Ze deed het deksel dicht en duwde de la dicht. Zette de plint op zijn plaats en schoof hem goed naar beneden.

Ze stond op en deed de deur open, wijd, zodat hij tegen de muur zwaaide, zich afvragend in hoeverre zijn geld – het geld waar hij het nooit over had – haar milder jegens hem had gestemd en haar had verblind voor signalen die ze anders misschien wel had opgevangen.

Ze liep achterwaarts door de kastenwand, schoof de harmonikadeuren naar de slaapkamer dicht en sloot de multiplex deur, evenals de harmonikadeur in de achterkamer.

Kay liep door de gang naar het bedieningspaneel in de woonkamer. Legde de goede-banden-in-de-verkeerde-houders in de la. Trok het klembord naar zich toe, sloeg het bovenste gele velletje naar achteren en pakte de pen. Ze boog zich over het werkblad en keek fronsend naar het papier. Een onverwachte vergadering waar ze per se bij moest zijn? Ongeloofwaardig...

Terwijl ze met half dichtgeknepen ogen haar hersens pijnigde om iets beters te bedenken, keek ze op... en zag hem staan, in lift nummer twee, in zijn overjas met gestreepte sjaal. Er stond ook een vrouw in de lift. Kay staarde naar hen. Schakelde over op scherm twee. Het scherm bleef leeg, tot ze de goede knop had gevonden. Aan zijn gezicht te zien had hij pijn. Zijn hand streek over zijn nek. Zijn jas hing open. Het dienstmeisje van de Strangersons deed een pas naar voren, klaar om uit te stappen. Op de tiende verdieping. Kay gooide de pen neer, trok de onderste la rechts open, pakte de stapel cassettes en legde ze naast de andere. Schoof de la dicht, zette de stoelen goed, legde het klembord op zijn plaats, schakelde dr. Palme over op scherm één, draaide het geluid harder en liep naar de gang. Ging terug, boog zich over het bedieningspaneel om de video af te zetten en haastte zich weer naar de gang. Toen hij de lift uit kwam, deed zij de deur open.

'Wat is er?' vroeg ze.

Met een van pijn vertrokken gezicht keek hij haar aan, terwijl hij zijn nek masseerde. 'Mijn taxi was betrokken bij een ongeluk,' zei hij met onvaste stem.

'O hemel,' zei ze. 'Heb je iets?' Deed een stap in zijn richting.

'Ik weet het niet.' Terwijl de liftdeur dichtschoof, liep hij naar haar toe. 'Ik geloof van niet. Ik ben heen en weer geslingerd en een poosje zag ik dubbel. Maar dat is nu bijna over.' Hij knipperde een paar keer met zijn ogen.

'Doet je nek zeer?' vroeg ze.

'Ja, een beetje,' antwoordde hij.

Ze draaide hem om. Terwijl zij over zijn nek wreef, deed hij zijn sjaal af.

'Je handen trillen.'

Kay antwoordde: 'Toen ik je in de lift zag staan, wist ik meteen dat er iets aan de hand was. En je bent al zo gauw weer terug. Wat is er gebeurd?'

'Er kwam een kerel zonder uit te kijken een parkeerplaats af zetten. We knalden erbovenop. Op Fifth, vlak bij Seventy-ninth Street. Iemand uit New Jersey natuurlijk. Ik zat in een Checker-taxi, dus ik ben flink door elkaar gerammeld.' Hij schudde met een been en haalde bevend adem.

'Hè, wat naar voor je...' zei ze terwijl ze zijn nek stevig masseerde.

'Het was een gloednieuwe Mercedes.'

'Waren er nog ernstig gewonden?' vroeg ze.

'De passagier van de Mercedes. Een vrouw. Haar been is verbrijzeld.'

'Je zou eigenlijk naar de dokter moeten om je te laten onderzoeken,' zei ze.

Hij draaide zich om. 'Als ik morgen nog pijn heb, zal ik dat doen,' antwoordde hij.

'Heb je hier een dokter?' wilde ze weten.

Hij knikte.

Ze keken elkaar aan. Kay legde haar hand tegen de revers van zijn opengevallen jas. 'Pete Pechvogel,' zei ze glimlachend. Ze nam hem in haar armen.

Hij omhelsde haar. 'Ik had ergens even rustig moeten gaan zitten,' zei hij. 'Het was stom om terug te komen.'

'Nee, daar heb je juist goed aan gedaan,' zei ze.

Ze glimlachten elkaar toe. Kusten elkaar.

Ze gingen 13B binnen. Pete deed de deur dicht. 'Heb je je yoghurt al op?' vroeg hij terwijl hij zijn jas uittrok. Zijn gezicht vertrok in een grimas van pijn.

'Ziel,' zei Kay en hielp hem uit de jas. 'Nee, ik ben er net,' zei ze. 'Norman belde na jou. Ik moet zo nog even weg.'

'O ja?' zei hij terwijl hij zich omdraaide en zijn jas aanpakte.

'Ik wilde net een kattebelletje schrijven,' zei ze. 'Om vier uur komt Anne Tyler en hij wil graag dat ik daarbij ben. Ze is niet helemaal tevreden over haar huidige uitgever.'

'Het zou mooi zijn als zij bij jullie kwam,' zei hij terwijl hij met zijn hand over zijn schouder wreef.

'Nou en of,' zei ze. 'Norman heeft zo'n idee dat we een goede kans maken. Hij en June kennen haar al jaren.' Ze liep naar de keuken. 'Geef mij ook maar een bakje yoghurt, liefje.'

Kay keek in de koelkast. 'Citroen of bosbessen?' vroeg ze.

'Bosbessen. Er is een nieuwe patiënt bij dr. Palme.'

'Ik heb het gezien.' Ze pakte twee bakjes yoghurt, duwde de deur met haar elleboog dicht en haalde lepels en servetjes te voorschijn. Toen ze binnenkwam en een bakje, lepel en servetje voor hem neerzette, zat hij in zijn stoel, met de telefoon tegen zijn wang. Hij glimlachte haar toe

'Met Pete Henderson,' zei hij. 'Ik had om twee uur een afspraak... Inderdaad.'

Kay ging zitten, legde haar lepel en servetje neer en keek naar de twee grote schermen.

'Ik heb onderweg naar u toe een verkeersongeluk gehad,' zei Pete, met de telefoon tussen hoofd en schouder geklemd. 'Ik heb er nog een beetje last van. Kunnen we er maandag van maken, dezelfde tijd?'

Ze haalden het deksel van hun bakje yoghurt en keken naar de twee grote schermen. Dr. Palme zei: 'Als het zo onbelangrijk is, waarom bent u hier dan?'

'Linda vond dat ik moest gaan,' antwoordde de man op de bank.

'Dat is nog beter,' zei Pete. 'Het spijt me dat het vandaag is misgelopen. Tot ziens.' Hij legde neer. Maakte een aantekening op het klembord. 'Ze verkopen beschilderd fluweel,' zei hij.

Kay floot zachtjes.

Ze aten hun yoghurt en keken intussen naar dr. Palme, Lauren, Jay en de Hoffmans.

'Ik moet ervandoor,' zei Kay. Ze stond op en verzamelde de bakjes, met de lepels en servetjes erin, plus de deksels. 'Kan ik je wel alleen laten?'

'Natuurlijk.' Hij liet zijn nek los en bleef naar het scherm kijken. 'Geen last van je ogen meer?'

Hij schudde van nee.

'Ik ben tegen zessen terug,' zei ze, 'tenzij we nog iets gaan drinken.' Ze boog zich over hem heen en kuste hem op zijn hoofd. Hij tilde zijn gezicht naar haar op. Ze kusten elkaar op de lippen.

Kay ging naar de keuken, gooide de bakjes en servetjes weg, spoelde de lepels af en zette ze in het afdruiprek. Liep naar de gang en deed de deur open. 'O ja, ik heb de sleutel nog,' zei ze.

'Hou die maar, liefje,' zei Pete, zijn stoel naar haar toe draaiend. 'Ik heb hem over.'

Met haar hand in haar zak keek ze naar hem zoals hij daar in het donker voor de blauwwitte schermen zat, in het schijnsel van de zeegroene lamp. '*Merci*,' zei ze. 'Eerlijk is eerlijk, want jij hebt ook een sleutel van mij.'

'Dat vond ik ook' zei hij. Blies haar een kushand toe. 'Veel succes.'

'Dank je.' Ze beantwoordde zijn kushand. 'Neem straks maar een lekker warm bad,' zei ze. 'En blijf er een hele tijd in zitten, anders krijg je er nog behoorlijk last van.'

'Goed idee,' zei hij. 'Dat zal ik doen, maar ik wil eerst even zien hoe Jay reageert.'

Ze glimlachten naar elkaar. Kay deed de deur open en stapte naar buiten. Deed de deur dicht. Liep naar de lift en drukte op het knopje. Haalde eens diep adem.

Was ook dit gelogen? Was hij teruggekomen omdat hij haar niet vertrouwde? Maar dan had hij de sleutel niet achtergelaten en haar die niet laten houden. Voor een aartsleugenaar was een smoesje gauw verzonnen...

Hij leek echt uit zijn doen. En dat hij gauw naar mammie toe was gekomen klopte psychologisch als een bus. God zij dank had ze niet langer naar die banden gekeken en had ze de geheime la dichtgedaan. De banden, de goede exemplaren, waren veilig waar ze nu lagen; het lag niet bepaald voor de hand dat hij er nu een wilde bekijken.

Waarschijnlijk was hij echt op weg geweest naar een galerie. In Fifty-seventh Street wemelde het ervan. Ongetwijfeld om een Hopper of een Magritte voor haar te kopen. Ze zuchtte en schudde haar hoofd.

Schonk de camera in de lift een glimlach.

Ze moest vooral kalm blijven en doen alsof ze echt naar een bespreking met Norman en Anne Tyler ging. Ze mocht geen argwaan wekken, want stel dat hij zat te kijken... Een telefoontje naar de politie was uitgesloten. Nog voordat ze hadden opgenomen was hij al boven. En een confrontatie was het laatste dat ze wilde.

Toen ze de deur had opengedaan, streek Felice langs haar been. 'Hoi, schoonheid.' Ze pakte de poes op, kuste haar neus en zette haar op haar schouder. Terwijl ze de slaapkamer in liep, ging ze door met aaien. Het rode lampje van het antwoordapparaat brandde. Als hij zat te kijken, kon hij dat op het grote scherm zien.

Kay liet Felice op het bed springen en ging naar haar bureau. Eén boodschap, las ze op de teller. Ze drukte de knop in en deed een schietgebedje. Als het Sara nu maar niet was, met de verkeerde boodschap.

Een verkoopster van Bloomingdale's vertelde haar dat de lage tafel nog eens twee weken later zou worden geleverd. Het speet hun zeer.

Ze zette de radio aan en liep naar het raam. Tuurde naar de grijze lucht boven het bruine park. Felice, die op de vensterbank was gesprongen, duwde haar kop tegen haar knie. Kay kriebelde de poes over haar kop. Een nieuwslezer maakte melding van een schietpartij in de ondergrondse. Ze liep naar de kastenwand en knoopte haar overhemdblouse alvast los. Deed de harmonikadeuren open.

Ze koos haar jurk van blauwe wol. Prima voor Anne Tyler, uitstekend geschikt voor de politie. Ze legde hem klaar op het bed en duwde Felice opzij. Pakte een panty, een onderjurk en een beha uit de ladenkast.

Een douche?

Zou het hem opvallen als ze het niet deed? Zou hij zich daarover verbazen? En zich afvragen waarom ze opeens niet onder die verrekte douche ging?

Als hij zat te kijken...

Zou hij zoveel argwaan koesteren dat hij zijn cassettes ging controleren? De banden, niet de houders? Dat leek haar niet waarschijnlijk. Maar als hij dat wel deed, kon hij de lift op de dertiende verdieping stopzetten als ze wegging...

Ze kleedde zich uit. De nieuwslezer voorspelde dat er sneeuw op komst was uit West-Pennsylvania, tien tot vijftien centimeter. Ze deed de radio uit. Ging naar de badkamer. Zette haar douchemuts op. Felice krabbelde in de kattebak.

Kay stak haar hand in de douchecabine uit naar de art-decokraan van chroom en draaide hem open. De dubbelganger ervan uit 13A of 13B moest het glinsterende voorwerp zijn geweest op die lat of bat, of wat dan ook. De politie zou er waarschijnlijk nog wel sporen, microscopisch kleine krasjes, op kunnen vinden.

Ze controleerde de watertemperatuur, zette de straal nog iets warmer. Stapte de zwartglazen cabine in en schoof de deur dicht.

Ze maakte er een vluggertje van. Terwijl ze zich inzeepte, vroeg ze zich af hoe het mogelijk was dat de Pete van wie ze had gehouden – van wie ze nog steeds hield, die ze haatte, met wie ze medelijden had – dezelfde Pete was die zo meedogenloos had toegeslagen, die Sheer daar op de vloer had verdronken...

Het moest hem uren hebben gekost om alles te ensceneren en schoon te maken. En hij had alles op de band staan. Een spannende gebeurtenis... Op de avond voor die prachtige ochtend toen zij een rondje om het Reservoir had gelopen en Sam was tegengekomen... Die zou perplex staan als hij het hele verhaal hoorde. Zag ze achter de beslagen deur het lichtschijnsel veranderen?

Ze veegde met een hand over het paneel, tuurde erdoorheen... en zag de lege badkamer.

Haar verbeelding speelde haar parten.

Ze spoelde zich af. Kalm blijven. Ze had een afspraak met Norman en Anne Tyler. En ook met June natuurlijk.

Ze deed de deur open en pakte de handdoek van het haakje. Droogde zich af, zette de douchemuts af en hing hem aan een haakje. Stapte de cabine uit. Er lag niets op de vloer bij de badmat.

Bij de wasbak droogde ze zich verder af. Intussen keek ze naar haar spiegelbeeld, niet naar de lamp boven haar.

Ze liep naar de slaapkamer, ging op het bed zitten en trok de panty aan. Stond op en schoof hem omhoog tot hij goed zat. Daarna de beha, die haar borsten omsloot. Terwijl ze naar het raam liep, maakte ze de haakjes op haar rug vast.

Ze stond naar de grauwe lucht te kijken en trok de beha recht. Er was inderdaad sneeuw op komst. Het water in het Reservoir rimpelde in de wind. Op het pad erachter liepen een paar joggers.

Ze liep naar de zijkant van het raam en trok de gordijnen dicht. De groen-met-witte stof sloot zich aaneen en streek over de vensterbank, die op de telescoop na leeg was.

Ze ging naar de badkamer en bracht een bescheiden make-up aan.

Ze had moeten zeggen dat ze Roxie ging helpen met het versjouwen van meubels...

Ze dacht aan de toestanden die zouden volgen: de rechtszaak, de mediamonsters die zich als uitgehongerd op het nieuws zouden storten en niets van Pete heel zouden laten, noch van haar, de oudere vrouw die zich had laten inpakken door een veel jongere man. Lieve god, het dubbelhartige medeleven dat ze zou ondervinden van mannen èn vrouwen, terwijl ze achter haar rug zou worden uitgelachen. Kon ze maar even met Roxie praten. ('Ik zit met een probleem, Rox. Pete is een moordenaar.') Sirenes in de verte naderden over Madison.

De sirenes klonken steeds luider. Claxons schetterden. Het geloei en gekreun was nu dichtbij, vlak onder haar. Motoren bromden. Terwijl ze een borstel door haar haar haalde, liep ze naar de woonkamer. Ging bij het raam staan, dicht tegen de vensterbank aan, met een hand tegen de bronskleurige raamstijl. Leunde met haar voorhoofd tegen de ruit.

Rode lichten zwaaiden rond in de diepte. Brandweerwagens stonden voor het Wales, kleine figuurtjes renden er naar binnen.

Kay liet haar blik dwalen over de gevel met het vele rood en over het dak, maar ze zag geen rook of vlammen.

Loos alarm, hoopte ze. Mooi, dat leidde zijn aandacht af.

Ze ging naar de zijkant van het raam en trok de gordijnen dicht. De witte zijde sloot zich aaneen en streek over de vensterbank.

Ze liep de woonkamer door, maakte een omweg via de keuken om de kraan goed dicht te draaien, en ging de badkamer binnen.

Terwijl ze haar haar stond te kammen, bedacht ze dat er boeken over de zaak geschreven zouden worden, terwijl Diadem geen goede thrillerschrijver onder zijn auteurs telde, jammer maar helaas. Hoewel... Of zij dat nu leuk vond of niet, zij zou door haar hoofdrol in de zaak een uitstekende onderhandelingspositie innemen. Als een van de grote namen bereid was de overstap naar Diadem te maken...

Achter de wolken scheen immers de zon...

Kay ging naar de slaapkamer en pakte haar onderjurk. De telefoon ging. Ze pakte de hoorn van het toestel op het nachtkastje. 'Hallo?' zei ze, klaar om Sara de mond te snoeren.

'Hoi.'

'Hoi,' antwoordde ze. 'Wat een toestand aan de overkant.'

'Het was loos alarm.'

'Wat is er?' vroeg ze.

'Kay... Je mag niet weggaan en je mag ook niemand meer opbellen.'

Ze stond met de hoorn in haar hand. 'Waar heb je het over?' vroeg ze.

'Ach schatje, kom nou toch... Dat weet je best. De banden. Luister eens...'

Ze luisterde.

Hoorde kattegespin.

Kay staarde naar de gordijnen, de deur. Ze had Felice voor het laatst gezien... vlak voordat ze onder de douche ging...

Ze haalde diep adem. Draaide zich om en ging op de rand van het bed zitten. 'Pete, je mag haar niets doen,' zei ze.

'Ze ligt op mijn schoot en ik kietel haar oren met een X-acto-mes. Je weet toch wat dat is? Het ziet eruit als een potlood, maar het is een vlijmscherp mesje. Ik heb er de banden mee gemerkt. Het oranje oor, rats... Het witte oor, rats...'

'Pete, alsjeblieft...'

'Ik gebruik het mes liever niet, maar als je niet precies doet wat ik zeg, zal ik wel moeten. Ik heb tijd nodig om alles op een rijtje te zetten.'

'Goed,' zei Kay. 'Neem vooral rustig de tijd.' Ze draaide zich om en keek omhoog naar de lamp boven het voeteneinde van het bed. 'Als je haar maar niets doet,' zei ze. 'Ik weet dat je dat niet zult doen, want je houdt van haar.' Ze keek naar de iris van chroom, naar zichzelf, ondersteboven op het omgekeerde bed, met de witte telefoonhoorn in haar hand.

'Als jij me ertoe dwingt, doe ik het, Kay, dat verzeker ik je.'

'Je kunt alle tijd nemen die je nodig hebt,' zei ze.

'Je was van plan naar de politie te gaan. Als ik vijf minuten later was teruggekomen, waren zij met loeiende sirenes voorgereden.'

'Nee, ik wist nog niet wat ik moest doen,' zei ze. 'Ik wilde ergens heen gaan om zelf eens rustig na te denken, zonder dat ik werd begluurd.'

'Hou me niet voor de gek, Kay. Je wilde met die banden naar de politie, daarom heb je ze verwisseld.'

'Ik wilde ze hierboven verstoppen,' zei ze. 'Ik had geen flauw idee wat ik moest beginnen. Ik wilde met je praten en je vragen waarom je het hebt gedaan. Ik wilde proberen het te begrijpen, maar ik was bang. Ik dacht dat die banden als onderpand zouden kunnen dienen. Daarom heb ik ze meegenomen.'

'Jij doet precies wat ik zeg, anders is Felice er geweest. Ik weet welke band je hebt bekeken en tot waar, want je had hem niet teruggespoeld. Je weet dus dat ik het echt doe als het moet, nietwaar?'

'Ja,' zei ze tegen de lamp. 'Dat weet ik.'

'Ik heb tijd nodig om na te denken. Je kunt je aankleden en aan het werk gaan als je wilt. Maar op het bed, daar kan ik je beter in de gaten houden. Als de telefoon gaat, neem je niet op. Zet het antwoordapparaat maar aan. Je neemt alleen op als ik het ben. Begrepen?'

'Ja,' zei ze.

'Staat het apparaat zo ingesteld dat je kunt horen wie er belt?'

'Ja,' zei ze.

'We spreken elkaar straks nog wel. Want dat wil ik. Trek een spijkerbroek aan, of wat je maar wilt.'

'Heb je echt een ongeluk gehad?' vroeg ze.

'Nee. Opeens begon me te dagen wat je in je schild voerde. Weet je wat ik van plan was? Ik ging een Hopper voor je kopen. En moet je ons nu eens zien.'

'Het is mijn schuld niet,' zei ze tegen de lamp.

'O nee? Je hebt mijn privacy toch zeker geschonden? Ironisch, nietwaar? Ach, nu staan we min of meer quitte. Toe, ga iets aantrekken. En denk eraan: raak die telefoon niet aan, tenzij ik het ben. En als je wilt opstaan, moet je het eerst vragen. Zorg dat je niets doet dat... de boel verziekt. Ik verlies je niet uit het oog.'

Min of meer quitte...

Alleen had hij een paar moorden op zijn geweten en bedreigde hij Felice met een vlijmscherm mes. Tenminste, als hij niet weer zat te liegen.

Maar waarschijnlijk was het geen bluf. Kijk maar wat hij met Sheer had gedaan.

Kay huiverde. Hoopte dat het een reactie leek op het boek dat ze opengeslagen voor zich hield. Rustig blijven...

Zolang hij bereid was tot praten, zolang hij de zaak overdacht, zou alles nog goed kunnen aflopen zonder dat iemand een haar werd gekrenkt... Felice niet, haar niet, en ook hem niet. Hij dacht toch zeker niet dat hij haar zo gauw na de dood van Sheer kon vermoorden en het kon doen voorkomen alsof het om een ongeluk of zelfmoord ging. En als de politie eenmaal vermoedde dat het om moord ging, zou hij, haar minnaar, zeker de hoofdverdachte zijn. Er zou bekend worden dat hij eigenaar van het pand was. De monitors in 13B en de camera's zouden worden ontdekt. Het onderzoek naar alle sterfgevallen zou worden heropend. Dat zag hij toch zeker ook wel in, en anders moest ze ervoor zorgen dat hij alsnog tot dat inzicht kwam. Hij deed er het verstandigst aan – het was in feite de enige weg die hem openstond – zichzelf aan te geven, een bekend advocaat in te huren en het te gooien op verminderde toerekeningsvatbaarheid...

Maar stel dat hij dat niet inzag. Hij was immers krankzinnig?

Als ze probeerde weg te lopen, kon hij haar de pas afsnijden, op de trap of in de lift. Als ze de politie belde of een stoel door het raam gooide, was hij binnen de kortste keren boven, met zijn loper... Felice zat te spinnen op zijn schoot...

De rotzak. Als hij niet voor rede vatbaar was, móest er toch een manier zijn om hem te overtroeven...

Hij zat te kijken terwijl zij deed alsof ze las.

Ze zat te bedenken – daar kon je vergif op innemen – hoe ze hem zover kon krijgen dat hij samen met haar naar het politiebureau ging om zichzelf aan te geven. Hij moest het zeker gooien op verminderde toerekeningsvatbaarheid.

Wel verdomme, waarom had ze haar neus in zaken gestoken die haar niets aangingen? Ze hadden alles wat hun hart begeerde, tenminste, dat hadden ze kunnen hebben, en nu, pats, boem... niets meer.

Er bestond geen twijfel over wat hem nu te doen stond, of hij er zin in had of niet.

Ze liet hem werkelijk geen keus.

Maar hoe?

Het was ondenkbaar dat hij zo gauw na Rocky weer ongestraft een zogenaamd ongeluk of zelfmoord kon ensceneren. En zodra de politie verdenking koesterde, stond hij boven aan de lijst verdachten. Dat was altijd zo met de vriend of de echtgenoot (en terecht, hè, pap?). Alles zou uitgeplozen worden, alles...

Tenzij... de politie dacht dat iemand anders haar had vermoord... Zeker wist dat iemand anders...

Hij keek naar links.

Drukte de knoppen van 3B en van scherm één in.

Felice worstelde zich los. Hij haalde zijn hand weg. De poes sprong op de grond en begon rond te snuffelen.

Hij legde het mes op het bedieningspaneel. Nam een paar winegums.

Leunde kauwend achterover en keek naar de grote schermen.

Sam op één, zij op twee...

Even later had hij iets bedacht. In grote lijnen, niet tot in de details. Twee belangrijke vragen: kon hij haar vanavond een kwartiertje, twintig minuten onbewaakt alleen laten, terwijl Sam naar dat toneelstuk van Candace was? En kon hij haar tot morgenavond in toom houden? Eerder kon hij niets arrangeren.

Als hij dat voor elkaar kon krijgen was hij gered. Keurig netjes, twee vliegen in één klap.

Hij keek naar hen.

Sam, op scherm één, zat op de oude portable te rammelen. Kay, op scherm twee, sloeg de ene pagina na de andere om...

Deel 3

11

Kay sloeg het boek dicht. Zette haar bril af en keek omhoog naar de lamp. 'Ik wil graag even naar de keuken om een kop koffie te maken.'

Ze keek naar de lamp. Vervolgens bekeek ze het boek, de voorkant, de achterkant.

De telefoon ging.

Ze draaide zich om naar het tafeltje naast het bed. De klok stond op 16:22. Weer rinkelde de telefoon.

Ze legde haar bril op het tafeltje en het boek op de stapel eronder, en ging rechtop zitten. De telefoon rinkelde door; het antwoordapparaat op haar bureau klikte. Ze streek met haar vingers door haar haar.

'Hallo,' zei haar stem. 'Ik kan nu niet aan de telefoon komen, maar als je na de piep een boodschap inspreekt, bel ik zo gauw mogelijk terug. Bedankt.'

Het apparaat liet een piep horen.

'Ik ben het,' zei zijn stem.

Ze nam de telefoon op. 'Mag het?' vroeg ze.

'Even wachten tot het apparaat afslaat.'

Ze zuchtte. Keek naar de gordijnen, het bureau, de lamp. Naar zichzelf in miniatuur, met de telefoon in haar hand...

Piep.

'Ja, je mag koffie gaan halen. Niet neerleggen, laat de hoorn maar op bed liggen. Ik kan je in de keuken niet zien, maar ik hou de hal in de gaten. Als je via de huistelefoon de receptie probeert te bellen, zie ik dat Terry opneemt. Zodra hij zegt "Ja, mevrouw Norris" krijgt Felice een jaap, en als hij...'

'Laat maar,' zei ze. 'Ik haal wel een glas water in de badkamer. Tenminste, als dat mag.'

'Als je zin hebt in koffie, ga dan gerust koffie zetten, maar raak de huistelefoon niet aan.'

'Dat was ik ook niet van plan,' zei ze.

'Ga je gang.'

Ze legde de telefoonhoorn op bed en stond op. Liep naar de keuken en deed het licht aan. Terwijl de t.l.-buizen aanflitsten, keek ze naar de bakjes met kattevoer en water in het hoekje op de grond, naar de krabpaal aan de wand.

De wandtelefoon, de huistelefoon...

Ze liet water in de ketel lopen, zette hem op het fornuis en draaide het gas hoog op. Deed een lepel oploskoffie in de beker met de grote bruine K erop. Stond naar de zingende ketel te kijken. Wierp een blik op het messenrek.

Met de beker in de hand liep ze naar de slaapkamer. Pakte de telefoon op, ging op de rand van het bed zitten en bracht de hoorn naar haar oor.

'Ik heb zelf ook een kop koffie gemaakt,' zei hij.

'Wat leuk,' zei ze. 'Laten we er een gezellig kletspraatje bij maken.' Ze nam een slokje.

'Liefje, het spijt me, maar ik heb tijd nodig. Verdomd, ik weet niet wat ik met de situatie aan moet...'

Ze draaide zich half om en trok een been onder zich op het bed. Keek op naar de lamp. Schudde haar hoofd. Zuchtte.

'O god, Pete...' zei ze. 'Heb je dat met Sheer gedaan omdat je bang was dat hij de camera's zou ontdekken?' Ze keek strak naar de lamp. 'Heb je het daarom gedaan, Petey?' vroeg ze.

Een zucht. 'Ja... Hij was van plan naar de showroom van Takai te gaan. Daar zou hij dit soort lampen hebben gezien, of een foto ervan, en dan had hij de boel verraden...'

'En dan zou het onderzoek naar de andere sterfgevallen zijn heropend,' zei ze.

Met de mok in de ene en de telefoonhoorn in de andere hand zat Kay naar de lamp te kijken.

'Ik vind dat ik daar beter niet op kan ingaan. Het zit er dik in dat je dit in de rechtszaal tegen me gebruikt.'

Ze nam een slok. Keek naar de lamp. 'Petey,' zei ze, 'je weet dat je niet kunt doorgaan met... wat je hebt gedaan. Vroeg of laat word je gepakt, en hoe langer het duurt, hoe erger het wordt.'

'Je wilt dat ik mezelf ga aangeven...'

'Ja, dat lijkt mij het verstandigst,' zei ze. 'Het zou volgens mij in je voordeel werken, het zou sterk voor je pleiten zelfs, en je kunt je de beste advocaat veroorloven die er is. Ze zullen erom vechten om je te mogen verdedigen, want ze zijn allemaal even publiciteitsgeil.'

'O ja, publiciteit komt er genoeg, reken maar. Kun je je voorstellen hoe het zal zijn?'

Ze zuchtte en haalde een schouder op. 'Toch lijkt dat me het beste wat je kunt doen,' zei ze. 'De enige mogelijkheid.' Ze nam een slok, keek naar de lamp.

'Ik zou uit het raam kunnen springen.'

'O, dat mag je niet zeggen, liefje, néé!' zei Kay. Ze boog zich naar voren en schudde haar hoofd. 'Als alles wat je hebt gedaan verband hield met de camera's... en dat was toch eigenlijk zo, nietwaar?' Ze keek naar de lamp. 'Nietwaar?'

'Ja...'

'Liefje, ik weet zéker dat een goed advocaat – in aanmerking genomen wie je moeder was en zo – overtuigende argumenten kan aanvoeren voor... verminderde toerekeningsvatbaarheid...'

'Wil je daarmee zeggen dat ik de rest van mijn leven zou moeten slijten in een psychiatrische kliniek? Met niets dan ernstig gestoorde figuren om me heen?'

'Niet je hele leven,' zei ze. 'Als je jezelf aangeeft misschien maar een paar jaar. Je bent nog jong, de toekomst ligt nog voor je. En dan leef je tenminste. Begin alsjeblieft niet over uit het raam springen, dat is pas echt stom.'

'Hè, shit. Ik moet nadenken. Het is een moeilijke beslissing...'

'Natuurlijk,' zei ze. 'Neem rustig de tijd. Ik was toch niet van plan om vanavond uit te gaan.' Ze glimlachte. 'Als je Felice nu eens boven bracht? Ze zal wel honger hebben.' Glimlachend keek ze naar de lamp.

'Nee, die houd ik hier. Anders neem jij de beslissing voor me. Ik wil mijn eigen beslissingen nemen.'

'Goed,' zei ze. 'Daar heb ik begrip voor.'

'Ik heb wel iets eetbaars voor haar. Verder heeft ze het uitstekend naar haar zin. Ze snuffelt overal rond. Ik leg wel een paar kranten voor haar in de badkamer.'

'Misschien komt ze in de achterkamer in de problemen.'

'Ik heb de deur al dichtgedaan. Het gaat prima met haar, zolang je maar geen druk op me uitoefent, Kay. Dat meen ik.'

'Goed,' zei ze tegen de lamp. Knikte.

'Je mag wel van het bed af gaan, maar blijf uit de buurt van de telefoons, de ramen en de deur. Ik bel je straks nog wel. Wacht met opnemen tot je hoort dat ik het ben.' Klik. Kiestoon.

Kay draaide zich om en legde de hoorn op het toestel. Staarde naar de beker.

Het sneeuwde. De mensen die de hal binnenkwamen klopten de vlokken van hun schouders.

Pete zag dat Sam zijn houtje-touwtje-jas aantrok. Kay zat met haar rug tegen de zijleuning van de bank, met haar armen om haar in jeans gehulde benen, met haar blote voeten op het kussen. Ze sabbelde op een poot van haar bril; het manuscript waarin ze had zitten lezen lag naast haar.

Hij brak een *fortune*-koekje open, trok het strookje papier eruit en hield het bij het blauwwitte licht. *Inspiratie bestaat voor negenennegentig procent uit transpiratie.*

Geen speld tussen te krijgen. Hij verfrommelde het papiertje en mikte het op het schaaltje. At een helft van het koekje op en keek intussen naar Sam, die uit de deur van het trappenhuis kwam, over de donkere loper in de hal wandelde en bij de voordeur iets tegen Walt zei.

Kay stak haar hand uit en legde haar bril op tafel. Keek naar hem op, met haar armen om haar knieën geslagen. Slaakte een zucht. 'Wil je me alsjeblieft even bellen?' zei ze. 'Je hebt mijn nummer, hè?'

Hij keek naar haar terwijl zij naar hem keek. Pakte de hoorn van het toestel en koos haar nummer met behulp van de automatische kiezer. Kreeg de in-gesprekstoon.

Haar telefoon ging over. Kay stak haar hand uit, bedacht zich en keek naar hem.

Pete haalde diep adem, legde de hoorn neer en zette het geluid van haar telefoon aan.

Ze leunde achterover terwijl de telefoon rinkelde. Speelde met een knoopje van haar blouse. Mooie inkijk... 'Hallo. Ik kan nu niet aan de telefoon komen, maar als je na de piep een boodschap inspreekt...' Fraaie belichting ook.

Piep.

'Hoi, met Roxie. Ben je thuis?'

Kay kwam overeind, steunde op de leuning van de bank en boog haar hoofd achterover.

'Het schaatsen gaat niet door, want Fletcher moet naar Atlanta. Tenzij jullie per se willen gaan omdat jullie er erg veel zin in hebben. Laat het me dan even weten. Daag.' Een kus. De klik van het apparaat.

Kay keek naar hem op. 'Pete?' zei ze.

Hij pakte de telefoon en drukte op de repeteerknop.

Kay boog haar hoofd. Bleef stil zitten.

De telefoon ging.

Ze leunde tegen de zijkant van de bank. Strekte haar benen en sloeg ze over elkaar. Speelde met het knoopje terwijl de telefoon overging en de boodschap werd afgedraaid. De spijkerbroek sloot strak om haar heupen en dijen, de V ertussen...

Piep.

'Ik ben het!' riep hij.

Ze stak haar hand uit, pakte de hoorn van het toestel en leunde achterover.

Ze wachtten allebei.

Kay speelde met het knoopje, terwijl ze daar op de bank met de wulps gewelfde rugleuning lag, met haar benen over elkaar geslagen en de hoorn in haar hand...

Piep.

'Hoi,' zei ze terwijl ze naar hem keek.

'Hoi,' zei hij terwijl hij haar gadesloeg.

Ze zuchtte. 'Ik heb eens nagedacht over hoe het zal gaan,' zei ze. 'De publiciteit. De mediamonsters. Maanden lang, tijdens een langdurige rechtszaak, en daarna... Al mijn kennissen en collega's zullen achter mijn rug gniffelen... De jaren die het jou hoogst waarschijnlijk kost...' Ze zuchtte. 'Hoe meer ik erover nadenk, hoe erger het me allemaal lijkt.' Ze keek hem aan.

Hij sloeg haar gade.

'Liefje,' zei ze, 'ik heb een idee dat misschien een veel betere uitweg biedt.'

'En dat is?' vroeg hij.

'Zit je?' zei ze. 'Je zult je oren niet geloven, maar ik vind dat we het ernstig moeten overwegen.'

'Ik zit,' zei hij.

'Als we nu eens gingen trouwen,' zei ze.

Hij keek naar haar, terwijl zij naar hem keek. 'Je hebt gelijk,' zei hij, 'ik kan mijn oren niet geloven.'

'Voor míj,' zei ze, 'betekent dat onder andere dat ik niet langer het gevoel hoef te hebben dat ik naar de politie moet gaan. Zolang echtgenoten niet tegen elkaar hoeven te getuigen, hoeven ze elkaar

ook niet te verraden, nietwaar? Je bent toch geen krankzinnige of dwangmatige seriemoordenaar die het voor de kick deed, en die weer kan toeslaan. Je werd bedreigd, het was een kwestie van zelfverdediging, je had rationele motieven. Tenminste, ik heb altijd aangenomen dat dat zo was. Als het niet zo is, zeg je het maar.'
Hij sloeg haar gade. 'Ga door...'
'Vanzelfsprekend,' vervolgde ze, 'stel ik een paar dwingende voorwaarden. Ten eerste: het hele systeem wordt onmiddellijk ontmanteld, zonder er verder nog over te praten. Ik zal ook niet zeuren. We moeten erkennen dat het altijd mogelijk is dat iemand erachter komt, of op de een of andere manier een bedreiging vormt.'
Hij sloeg haar gade. 'Ten tweede?'
'Ik weet het niet,' zei ze. 'Ik heb het nog niet allemaal op een rijtje staan. Maar mijn god, Pete, vindt een van ons beiden ooit weer zo'n ideale partner? We kunnen zo goed met elkaar overweg, de seks is fantastisch... Je bent nog steeds die je bent, daar verandert niets aan. Ik kan mijn gevoelens niet zomaar uitschakelen. Bovendien heb ik mijn motieven eens onder de loep genomen. Geloof maar niet dat ik volslagen ongevoelig ben voor geld, want dat ben ik wèl. De tweede voorwaarde zal waarschijnlijk zijn dat we een groot appartement aan Park Avenue huren, met drie man personeel.' Ze glimlachte. 'Wat vind je ervan?'
'Het klinkt geweldig,' zei hij. 'Maar hoe kan ik weten dat je het meent? Het kan best zijn dat je me beduvelt. Misschien begin je om de politie te schreeuwen zodra we de straat op gaan.'
Kay zuchtte en speelde met het knoopje van haar blouse. 'Die mogelijkheid zul je moeten incalculeren, denk ik,' zei ze. 'Eerlijk gezegd was dat ook mijn eerste reactie. Ik probeerde een list te verzinnen. Maar Pete, hoe meer ik nadenk over de media, de rechtszaak – mijn god, het zou het opzienbarendste proces in jaren worden – en de verloren jaren van jouw leven... En waarvoor? Gedane zaken nemen nu eenmaal geen keer. Als ik me niet meer verplicht zou hoeven voelen om naar de politie te gaan...' Met een zucht schudde ze haar hoofd. 'Nee, ik beduvel je niet, schat,' zei ze. 'Niet alle vrouwen spelen toneel. Wil je er alsjeblieft goed over nadenken? Een minpunt is dat je waarschijnlijk met katten in plaats van kinderen genoegen zult moeten nemen...'
'Dat vind ik juist een pluspunt,' zei hij.
Kay trok een knie op en keek naar hem, met de telefoonhoorn tegen haar wang. 'Wat ging je kopen?' vroeg ze. 'Een tekening?'

'Een schilderij.' Hij sloeg haar gade. 'Ze hebben er twee waar ik uit kan kiezen.'

Kay slaakte een zucht en schudde haar hoofd. 'Ik was van plan voor jou ook een schilderij te kopen,' zei ze, aan het knoopje frunnikend. 'Of een bijzondere foto...'

Pete sloeg haar gade. 'Heb je genoeg te eten in huis?' vroeg hij.

'Ja hoor,' antwoordde ze. 'Ik ben op dieet.'

'Felice heeft garnalen met krabsaus gehad.'

'Geweldig, je verwent haar nog...'

'Ze ligt onder het bedieningspaneel te slapen,' vertelde hij. 'Bij het leren varken.'

Ze glimlachte. Wreef over de zijkant van haar hals. 'Au...' zei ze. 'Ik ben van dit hele gedoe toch zo gespannen geworden...'

'Als je eens in het bad ging?' opperde hij

Ze keek hem glimlachend aan. 'Goed idee.'

'Daarna praten we verder,' zei hij.

'Oké,' zei ze.

Hij zag dat ze naar hem keek.

Ze verbraken de verbinding.

Beiden troffen ze hun voorbereidingen.

Pete herlas het briefje, veranderde *minnaar* in *seksmaniak*, vouwde het dubbel. Stond op en stopte het in zijn rechter achterzak.

Kay liet het bad vollopen en kneep een dot badschuim in het water uit een tube.

Hij trok de onderste la links open en zocht de doos met plastic handschoenen op; scheurde er twee van de rol en stopte ze in zijn linker broekzak. Controleerde of hij zijn sleutels bij zich had en of er kleingeld in zijn rechterzak zat.

Zij stopte een bandje in het cassettedeck dat in de slaapkamer stond. Op de gitaar van Segovia werd een akkoord aangetokkeld.

Hij keek toe terwijl ze zich uitkleedde.

Zij keurde hem geen blik waardig. Alsof het onmogelijk was dat iemand haar begluurde, daar in haar gezellige slaapkamer...

Net als vroeger. Maar nu wist ze het...

Heel opwindend...

Voor haar ook?

Misschien, heel misschien, beduvelde ze hem niet, die vrouw met haar mooie tieten?

De media zouden vanwege het leeftijdsverschil niet bepaald zacht-

163

zinnig met haar omspringen... En wie zou er niet graag rijk zijn? Gebruik je verstand, stomkop.

Hij peuterde het plastic van een nieuwe band, stopte hem in de video en startte het apparaat, net op het moment dat zij de badkamer binnenkwam. Met een hand hield ze haar korte satijnen badjas dicht. Met de andere hand aan het lichtknopje stond ze naar hem te kijken. Het licht werd gedimd.

Terwijl ze naar hem keek, werd het licht weer iets heller. Glimlachte ze? Ze liep naar het schuimbad en deed de kraan dicht. Ging naar de wasbak en begon haar haar op te steken. De badjas viel open.

Hij controleerde de monitors van 3B en 3A. Gekke Susan zat in de woonkamer met een blad op schoot televisie te kijken en te eten. Zijn blik dwaalde over de rijen blauwwitte monitors. Niets spannends...

Hij zag dat ze de badjas van zich af liet glijden, een been optilde en een voet in het schuim liet verdwijnen.

Hij bleef kijken...

Keek op zijn horloge en op de klok. 19:50. Draaide zich om en liep naar de gang. Tuurde door het kijkglaasje, deed de deur open en ging naar buiten; trok de deur dicht.

Hij opende de deur naar het trappenhuis, waarboven in zwart het cijfer 13 stond, en liep de overloop op, waar de t.l.-buizen hun vlakke, witte schijnsel wierpen.

Met een hand aan de leuning keek hij omhoog door de sleuf tussen de onderkant van de trappen.

Ze probeerde hem te beduvelen. Geen twijfel mogelijk.

Hij haastte zich de zigzaggende trappen af, de grijze betonnen schacht in.

Hij zette alle drie de harmonikadeuren open, liep toen naar de andere kant van de kamer en bekeek de kasten, die lang niet vol hingen. Onderin stonden schoenen en koffers, op de bovenste planken dozen en tassen, stapels pockets.

'*Ik heb er zelf ook een in de kast liggen,*' had Sam gezegd, een paar weken nadat hij hier was komen wonen, terwijl hij de kaarten ronddeelde. '*Een jaloerse echtgenoot heeft ooit eens opdracht gegeven me te laten vermoorden. Echt waar, ik zit niet te liegen. Een jaloerse weduwnaar. Zij was dood. Een actrice die ik jaren heb genaaid. Maar ik vind nog steeds dat die dingen verboden moeten worden.*'

Om de een of andere reden had hij dat onthouden.

Hij vond het ding bij zijn tweede poging, in een dichtgeritste wee-
kendtas, gewikkeld in een witte motelhanddoek die naar olie rook:
een blauwstalen automatisch pistool. Beretta U.S.A. stond op de
zijkant; de gefreesde magazijnhouder was leeg. Twee magazijnen
in de tas: één vol, één met twee lege vakjes onderin.

Hij woog het wapen op zijn in plastic gehulde hand. In zekere zin
ook een nalatenschap van zijn ouwe heer. Hij stopte het wapen in
de band van zijn jeans, trok zijn trui erover en klopte erop. Stak
het volle magazijn in zijn linker broekzak.

Hij ritste de tas, met de handdoek en een magazijn erin, weer dicht
en zette hem terug op de kastplank; als hij straks weer naar beneden kwam om het briefje bij de schrijfmachine te leggen, zou hij
hem openritsen.

Hij deed de harmonikadeuren dicht, maar liet de kast het dichtst
bij de gang op een kier, zoals hij hem had aangetroffen.

Zittend aan de tafel in de woonkamer keek hij op zijn horloge. Het
was 19:57. Hij bestudeerde de laatste pagina's van Sams typewerk
in de dikke map. De getypte letters, niet de woorden. *Thea* was een
van de woorden. Naderhand zou hij die pagina's meenemen; niemand zou ze missen.

Sommige letters waren vetter dan andere, omdat ze harder waren
aangeslagen. Vooral de B's, de N's en de H's. Hier en daar was iets
doorge-x't.

Hij viste het kladbriefje uit zijn zak. Rolde een vel van Sams papier
in de oude Remington. Sloeg met in plastic gehulde vingers de ronde zwarte toetsen aan zoals Sam dat gedaan zou hebben.

De vierde poging kon ermee door:

Aan wie dit leest,
Kay Norris had me bepaalde dingen beloofd, maar uiteindelijk
komt ze haar beloften niet na. Ik geef haar nog één kans om met die
jonge seksmaniak te breken. Als iemand dit leest, wil dat zeggen
dat ze heeft geweigerd. Ik heb haar ook iets beloofd. Ik houd me
aan mijn beloften.
S.Y.

Hij liep ermee naar de boekenplanken, bukte zich en pakte een van
de grote boeken die plat op de onderste plank lagen. *Classics of the
Silent Screen*. Hij legde het velletje papier erin, op een foto van een

zekere Pauline, die aan de treinrails lag vastgebonden. Daarna legde hij het boek terug.

Hij klopte zijn handen af. Keek op zijn horloge. 20:06. Hij was zestien minuten weg. Niets aan de hand. Ze zou zeker een half uur in het bad zitten, met Segovia en het schuim...

Hij vouwde het kladje en de eerste drie pogingen op en stopte ze in zijn zak. Klapte het deksel van de schrijfmachine dicht, legde het woordenboek op de map, zette de lamp en de stoel zoals ze stonden en knipte de lamp uit.

Met een hand aan het lichtknopje en een hand op het pistool in zijn broeksband onder zijn trui keek hij vanuit de deuropening naar de gang nog een keer het vertrek rond. Het tweedehands meubilair zag er live niet beter uit dan op het scherm.

Hij deed het licht uit, liep naar de voordeur en gluurde naar buiten. Wachtte omdat er een man voor de deur van 3A stond te wachten. Wachtte tot de deur openging. Susan telde bankbiljetten af, zei iets en deed de deur weer dicht.

Wachtte terwijl de man op de lift stond te wachten.

Haastte zich de trap af en trok onderweg de handschoenen uit. 20:11.

In het souterrain drukte hij op het liftknopje en liep de wasruimte binnen. Denise en Allan stonden bij de wasmachines; ze draaiden zich even om en knikten hem toe.

Denise en Allan? God, hij had de ontwikkelingen kennelijk niet goed bijgehouden. Terwijl hij muntjes in de sleuven stopte, gingen ze een eindje bij elkaar vandaan staan. Hij kocht chips en kattekruid. Haastte zich naar lift nummer twee, waarvan de deur net openschoof.

Ging naar de dertiende verdieping.

Deed de deur open.

Ze lag in het bad, onder eilandjes van schuim, met haar hoofd op de rand bij de wand, haar ogen gesloten.

Zonder zijn blik van het scherm af te wenden liet hij zich in de stoel zakken. Pakte het pistool en legde het op het bedieningspaneel.

Ging zitten kijken.

Felice sprong op het bedieningspaneel. Ze rook aan het pistool. Stapte eroverheen en besnuffelde het X-acto-mes. Tikte er met haar poot tegen; het rolde op de grond. Hij raapte het op. 'Bedankt,' zei hij.

Hij legde het zakje chips neer en sneed de plastic verpakking van

het kattekruid open. Haalde het piepkleine zakje eruit en hield het Felice voor. Ze rekte haar hals en rook eraan. Hij gooide het over zijn schouder en de poes sprong van het bedieningspaneel af.
Hij zette het beeld iets helderder.
Keek en legde het mes in een la.
Leunde al kijkend achterover en trok met zijn voet het leren varken onder het bedieningspaneel vandaan.

'Ik ben het,' zei hij.
Kay pakte de hoorn van het toestel en legde hem tegen haar schouder. Ze zat in kleermakerszit op bed, in een lichte pyjama. Ze lepelde donker ijs uit een bakje. Hield het glimlachend naar hem op.
Piep.
'Nee, dank je,' zei hij. 'Ik heb een wodka-tonic.' Hij schudde met het glas zodat de ijsblokjes tinkelden; nam een slok.
Zij nam een hapje ijs en keek hem aan. 'Valt er iets te vieren?' vroeg ze.
'Dat weet ik niet,' zei hij terwijl hij haar gadesloeg. 'Ik heb tijd nodig. Ik ben er nog niet uit. Morgenochtend zal ik het je vertellen.'
Ze stak de lepel weer in het bakje. 'Zonde en jammer van een mooie nacht...' Ze keek hem aan. Nam nog een hapje ijs.
Hij glimlachte. 'Het is geen verloren tijd. Morgenochtend praten we verder.'
Ze keek naar hem. 'Ik hou van je, liefje,' zei ze. 'Doe geen domme dingen.'
'Doe jij maar geen domme dingen,' zei hij.

De volgende ochtend zei Pete dat hij nog meer tijd nodig had.
'Waarom? Ik snap er niets van.'
'Omdat ik nog steeds bang ben dat je me beduvelt. Daarom.'
'Dat is niet zo,' zei Kay. Ze lag op haar rug en keek naar de lamp. Haar hand speelde met het snoer van de telefoon dat tussen haar borsten lag.
'Dan moet jij mij deze keer vertrouwen. Tot vanavond, niet langer. Dan breng ik Felice naar boven, ongedeerd, dat beloof ik je. Ik moet mijn advocaat nog het een en ander vragen, maar hij is moeilijk te pakken te krijgen. Hij zit in Vail, Colorado.'
'Ik wil boodschappen doen,' zei ze.
'Dat kan morgen ook wel. Trouwens, er ligt een dik pak sneeuw. Iedereen blijft binnen.'

'Maar ik wil Roxie bellen, en Wendy...'

'Als je maar op je woorden past.'

'Je mag niet meeluisteren!'

'Dan wacht je maar tot morgen!'

Ze legde de hoorn op het toestel en kwam overeind. Trok een grimas in de richting van de lamp en stak haar tong uit.

Ze stond op en liep naar het raam. Trok met beide handen aan het koord van de gordijnen.

Met de armen over elkaar geslagen keek ze naar de dwarrelende witte vlokken, het witte park, een spits dak met een witte deken en witte tuinen.

De lege vensterbank, waar alleen de telescoop op stond.

'Goedemorgen, meneer Yale,' zei hij. 'Met Pete Henderson. Ik ben een vriend van Kay Norris. Wij komen vrijdag op uw feest...'

'O ja,' zei Sam op scherm één. Hij stond bij de tafel in de woonkamer, met de telefoonhoorn tegen zijn oor. 'We hebben elkaar een keer in de lift gesproken.'

'Dat klopt. Ik woon in 13A,' zei hij. 'Ik zal u vertellen waarom ik bel. Ik ben er gisteravond pas achter gekomen dat Kay vandaag jarig is.'

'O ja?'

'Haar vriendin Roxie en ik organiseren een surprise-party voor haar.' Hij zag op scherm twee dat ze de slaapkamer aan het stofzuigen was. 'Om negen uur van avond,' zei hij. 'Bij haar thuis. Bij Kay, bedoel ik. Een man of tien, twaalf. Ik weet dat ze het heel leuk zou vinden als u ook komt...'

'Graag,' zei Sam. 'Bedankt voor de uitnodiging.'

'Het is flat 20B,' zei hij. 'Wilt u proberen om precies op tijd te komen? Het steekt nogal nauw met de organisatie.'

'Klokslag negen uur,' zei Sam.

'Afgesproken,' zei hij. 'Tot vanavond.'

'Nogmaals bedankt voor de uitnodiging,' zei Sam. 'Het lijkt me prettig om eens over iets anders dan het weer te kunnen praten.'

'Ik ben het helemaal met u eens,' zei hij glimlachend. 'Negen uur, 20B.'

Ze verbraken de verbinding.

Hij haalde eens diep adem.

Aaide Felice, die op zijn schoot lag te slapen.

Zag dat Sam iemand opbelde.

De piep van een antwoordapparaat. 'Hoi, Jerry, met Sam,' zei hij. 'Ik red het toch niet vanavond. Ik hoop niet dat de boel nu in het honderd loopt. Misschien kan Milt voor me invallen. Pas goed op jezelf.' Hij legde neer.

Liep naar het raam. Stond te kijken naar een sneeuwschuiver die met veel geraas de straat door reed en een wal van sneeuw opwierp tegen de auto's die aan de overkant geparkeerd stonden. Leuk voor de eigenaars als ze terugkwamen.

Hij probeerde een cadeautje voor Kay te bedenken, iets dat, hoewel niet te duur of te persoonlijk, zou bewijzen dat hij in zijn pink meer originaliteit en opmerkingsgave bezat dan die Pete Henderson, dat broekje, in zijn hele lichaam.

Waar had hij die naam toch meer gehoord?

Natuurlijk... Henderson, zo heette de man van Thea. En heette haar zoon niet Peter? Ja...

Ach, een veel voorkomende naam, *Peter Henderson*...

De leeftijd leek hem te kloppen. Ook qua uiterlijk bestond er gelijkenis... John Hendersons kastanjebruine haar en blauwe ogen...

Dat zou toevallig zijn. Thea's zoon... Uiteraard viel die jongen op vrouwen die op haar leken. Kay sprekend, Naomi Singer iets minder...

Zou het waar zijn? En was Kay ervan op de hoogte? Was Pete Henderson degene die haar had verteld van die badpakken en zomerjurken?

Als de eerste opwinding van de surprise-party achter de rug was, zou hij het haar vragen.

12

Kay stond bij de lage tafel en keek omhoog naar de lamp. 'En nu is het genoeg geweest,' zei ze tegen haar omgekeerde spiegelbeeld, gekleed in gympjes, spijkerbroek en de bordeauxrode coltrui. 'Het is half negen, verdomd-nog-an-toe. De muren komen op me af. Laten we ergens een hamburger of zo gaan eten. Je hoeft niet te bellen, maar kom...'

Ze draaide zich om toen de buitendeur van het slot werd gedaan en openging. Pete kwam binnen, met Felice op de arm, die rondkeek en miauwde.

'Hoi,' zei hij en zette Felice in de gang op de grond.

Kay deed haar ogen dicht en haalde diep adem. Deed haar ogen open en zag Felice naar de keuken stappen.

'Hé, suffie, wacht even,' zei ze terwijl ze haar achterna ging. Felice bleef staan, draaide zich om en keek haar aan. Kay bukte zich, pakte haar op en hield haar tegen haar schouder. Ze duwde haar neus in de lapjesvacht en drukte er een kus op. Felice worstelde om los te komen.

Kay nam haar mee naar de keuken, hurkte en liet haar op de grond springen. 'Wanneer heb je haar voor het laatst te eten gegeven?' vroeg ze terwijl ze het licht aandeed.

'O, er was van alles.'

'Een broodje ei soms?' Ze maakte de kast open en pakte er een blikje uit. Felice keek haar aan en miauwde. 'Niet zo ongeduldig,' zei Kay en pakte de blikopener uit de la. Wierp Pete een blik toe toen hij in de deuropening verscheen. 'Hoi,' zei ze.

'Hoi.' Hij glimlachte en keek om zich heen, met zijn handen in de zakken van zijn spijkerbroek. Verder droeg hij een ruim colbertje van groenige tweed, dichtgeknoopt, over een lichtblauw overhemd. 'Zo ziet mijn keuken er ook uit,' zei hij.

De gootsteen stond vol met vuile borden, het aanrecht lag bezaaid

met allerlei keukenspullen en er hing een doek over het messenrek.
'Je kunt het geloven of niet,' zei ze terwijl ze het blikje opendraaide, 'de afgelopen dertig uur was ik niet op mijn best. Mooie tweed is dat.'
'Het is al een heel oud jasje,' zei hij.
'Heb je al met je advocaat gesproken?' Ze bukte zich en schepte voer in het bakje. Felice stond toe te kijken.
Ze keek naar hem op. Hij schudde zijn hoofd.
Ze vulde het bakje verder. 'Wat ben je van plan?' vroeg ze.
'Laten we in de kamer gaan zitten,' zei hij.
Kay gooide het blikje in de afvalemmer en mikte de lepel in de gootsteen. 'Hoe zit het met de hamburgers in Jackson Hole?' zei ze. 'De muren komen op me af.'
'Laten we eerst eens praten. Goed?' zei hij.
Ze spoelde het waterbakje om, vulde het en zette het op de grond. Liep naar hem toe, glimlachte en kuste hem op zijn mond. 'Wil je iets drinken?' vroeg ze.
Hij schudde zijn hoofd. Kuste haar op haar mond.
Hand in hand gingen ze naar de woonkamer. Bij de bank lieten ze elkaar los en liepen eromheen. Kay ging zitten. Pete liep naar het raam.
Met een vinger deed hij de witzijden gordijnen van elkaar en tuurde naar buiten. 'Het sneeuwt weer,' zei hij.
'Toch wil ik graag naar buiten.' Ze leunde tegen de zijkant van de bank, met een been opgetrokken op de zitting en een hand op haar denim knie.
Hij liep naar de andere kant van de bank. Bleef naast de lage tafel staan en keek op haar neer. Slaakte een zucht. 'Liefje,' zei hij, 'ik zou er alles voor over hebben om je te kunnen geloven. Dat meen ik. Maar jij kunt niet zomaar een paar *moorden* uit je hoofd zetten, zeker niet als een van de slachtoffers iemand was die je kende, al was het maar oppervlakkig.'
Ze keek hem aan. 'Je onderschat hoeveel je voor me betekent, en hoezeer ik voor alle publiciteit terugschrik. Ik beweer niet dat ik stralend gelukkig zal worden, want af en toe zal alles wat er is gebeurd me zeker dwarszitten.' Ze haalde haar schouders op. 'Het is de beste keuze die we kunnen maken,' zei ze. 'Vanuit mijn egoïstische standpunt bekeken, en ook vanuit het jouwe, dunkt me. Tenzij je er toch al niets in zag om met iemand van mijn leeftijd te trouwen.'

'Ach, kom nou toch,' zei hij. Hij liep achterwaarts naar de fauteuil en ging op de leuning zitten. Schudde zijn hoofd. 'Nee,' zei hij, 'jij was bang dat ik uit het raam zou springen en je wilde Felice terug.' Felice liep voor hem langs over het kleed; haar staart met het zwarte puntje zwiepte. 'Brave poes, je komt als geroepen,' zei hij. 'Ik heb haar gedresseerd.'

Ze keken toe hoe Felice zich op haar kussen onder het raam installeerde, aan een poot likte en haar snuit begon te wassen. 'Ik vond het reuze gezellig om een poes in huis te hebben,' zei hij.

Ze keken elkaar aan.

'Hoe kan ik je ervan overtuigen dat ik het meen?' vroeg Kay.

'Dat kun je niet,' antwoordde Pete. Hij knoopte zijn colbertje los, liet zijn handen tussen zijn knieën hangen en bestudeerde haar.

'Ben je van plan jezelf aan te geven?' vroeg ze.

'Om de rest van mijn leven in het gekkenhuis te slijten? Als het meezit?'

'Niet je héle leven,' zei ze.

'De godganse dag televisie kijken in het dagverblijf...' Hij glimlachte. 'Kiften met de andere gekken over welk programma er bekeken wordt. Dat zie ik niet zitten...' Hij boog zijn hoofd en streek door zijn kastanjebruine haar.

Kay zat hem met haar hand op haar knie te bestuderen. 'Je weet toch, Pete,' zei ze, 'als... als mij iets overkomt, zelfs als het zelfmoord of een ongeluk lijkt, of een inbraak of wat dan ook, zo gauw na de dood van Sheer...'

'Ik weet het,' zei hij. 'Dan zou ik boven aan de lijst verdachten staan.'

Ze boog zich naar hem toe. 'Liefje, luister naar me,' zei ze. 'Met een goede advocaat ben je veel eerder vrij dan je denkt, en je kunt toch zeker de duurste en beste nemen? Bovendien zal er rekening mee worden gehouden dat je veel goeds hebt gedaan, mensen financieel hebt geholpen. En nogmaals, het feit dat je jezelf aangeeft, is beslist een punt in je voordeel, dat weet ik zeker. Heus, liefje.'

Hij hief zijn hoofd en keek haar aan.

'Het zal heus wel meevallen...' Ze glimlachte hem toe. 'Je krijgt liefdesbrieven van vrouwen van acht tot tachtig.'

'Sam komt hier op bezoek,' zei hij.

Ze keek hem aan.

Hij stak zijn hand in zijn colbertje. 'Dit ding is van hem,' zei hij.

'Na de dood van mijn moeder heeft mijn vader opdracht gegeven hem te vermoorden. Toen heeft hij dit pistool gekocht. Het is een Beretta, negen millimeter.'

Ze keek naar het blauwstalen wapen in zijn hand.

'Het wordt een gecombineerde moord-en-zelfmoord,' zei hij. 'Hij heeft je herhaaldelijk telefonisch lastig gevallen. Je zat er niet echt mee, want ik geloof niet eens dat je er – behalve met mij – met iemand over hebt gesproken.' Hij liet zijn pols op zijn dijbeen rusten, zodat het pistool in zijn hand omlaaghing. 'Bepaalde dingen die je een poosje terug in het park hebt gezegd, heeft hij verkeerd opgevat. Hij wilde dat je met mij brak. Je weet hoe jaloers oude mannen kunnen zijn. Naast zijn schrijfmachine zullen ze een briefje van die strekking vinden. Ik heb het gisteravond zitten typen toen jij in het bad zat.' Hij glimlachte. 'Niet de hele tijd, de eerste vijfentwintig minuten ongeveer.'

'Wat komt hij hier doen?' wilde Kay weten.

'Ik geef een surprise-party,' antwoordde Pete. 'Je bent vandaag jarig.' Hij keek op zijn horloge, bracht zijn hand naar het pistool tussen zijn knieën en streek met een liefkozend gebaar over de loop. 'Het grappige is,' zei hij, 'dat ik het al die tijd op hèm had voorzien. Daarom heb ik ervoor gezorgd dat hij hier een flat kreeg. Ik wilde hem in de gaten kunnen houden en hem uit de weg ruimen als ik een veilige methode had bedacht. Thea – mijn moeder ging naar hem toe, ze ging bij hem wonen, toen... Vlak voor het feest hadden zij en mijn vader er ruzie over. Ze is niet van de trap gevallen. Hij heeft haar een duw gegeven. Ik heb het gezien.'

Hij haalde diep adem. 'Sam was net zo schuldig als hij,' zei hij. 'Maar toen moest ik eerst... die kwestie met Billy Webber regelen. En vlak daarna overleed Brendan Connahay. Dus werd Sams leven nog even verlengd, net als zijn huurcontract.' Hij glimlachte. 'Hij bleek uiteindelijk heel interessant om naar te kijken, met die toneellessen, de echte èn de zogenaamde. Hoe de verhouding lag, dat verklap ik niet.' Hij hief het pistool, schoof de veiligheidspal terug en richtte het wapen op haar, met zijn vinger aan de trekker. 'Heb je een mes onder dat kussen liggen?' vroeg hij.

Ze keek hem strak aan.

'Slim, hoor,' zei hij. 'Ik heb niet gezien dat je het eronder hebt gelegd. Pak het nu maar. Langzaam, met twee vingers, en zo dat je het niet naar me kunt gooien. Leg het op tafel. Nú!'

Ze stak haar hand achter het kussen en haalde, met duim en wijsvinger om het zwarte handvat, een breed, puntig uitlopend mes te voorschijn van zo'n twintig centimeter lang. Ze pakte het met de duim en wijsvinger van haar andere hand over en legde het op tafel. Ze ging rechtop zitten en sloeg haar armen over elkaar. Keek naar hem en het pistool dat op haar gericht was.

Hij liet het wapen zakken. 'Of jij of ik, Kay,' zei hij. Keek op zijn horloge.

'Hoe laat begint het feest?' vroeg ze.

'Om negen uur,' antwoordde hij.

'En als hij niet komt?'

'Hij komt heus wel,' zei Pete. 'Hij heeft de repetitie van een strijk-kwartet waar hij in meespeelt afgezegd en hij heeft een cadeautje voor je gekocht. Toen ik wegging, was hij bezig zijn broek op te persen.'

'Wat voor kwestie moest je met Billy Webber "regelen"?' vroeg Kay.

'Hij had ontdekt dat de telefoon werd afgeluisterd,' antwoordde hij. 'Hij chanteerde me.'

'Hoe is hij erachter gekomen?' informeerde ze en legde een arm op de leuning.

Hij glimlachte. 'Hij handelde in drugs en was als de dood dat zijn gesprekken werden afgeluisterd,' vertelde hij. 'Hij kwam op een avond thuis met een high-tech geval waarmee hij afluisterappara-tuur kon opsporen. Het ding deed zijn werk goed. Ik had het ge-voel alsof mijn wereld instortte. De mensen woonden hier pas een paar weken en ik vond het allemaal nog reuze spannend en nieuw.'

'Wat heb je toen gedaan?' vroeg ze.

'Ik ben er meteen heen gerend,' zei hij. 'Hij woonde in 6A. Ik zei tegen hem dat ik de eigenaar was en dat ik een signaal had opgevan-gen dat hij met een detector bezig was. Ik vertelde dat ik de tele-foons afluisterde omdat ik daar een kick van kreeg. We gooiden het op een akkoordje.' Zijn handen omsloten het pistool tussen zijn knieën; de loop hing omlaag. 'Ik geloof dat ik hem de eerste keer tweeduizend dollar heb gegeven,' vervolgde hij. 'Als ik mijn mond hield over de drugs, hield hij zijn mond over het afluisteren. Toen eiste hij meer geld, en nog meer, heel veel meer, zoals dat al-tijd gaat met afpersers. Op een dag ben ik bij hem naar binnen ge-gaan om zijn versneden en onversneden stuff te verwisselen. Het was doodeenvoudig…' Hij zuchtte, keek op zijn horloge en glim-lachte haar toe. 'Rafael, de conciërge, heeft zich in de nesten gewerkt,' vertelde hij. 'Net een televisiekomedie: "Partners tegen wil en dank". Hij werd nieuwsgierig naar wat zich in 13B afspeelde en op een dag dat ik weg was, heeft hij het slot opengepeuterd. Hij wist niet dat ik er iets mee te maken had, maar hij wilde niet dat ik hem bezig zag. Toen ik terugkwam, zat hij aan het bedieningspaneel.'

'Weer chantage?' zei ze.

'Een beetje,' antwoordde hij. 'Een paar honderd dollar per week. Het probleem was dat hij het kijken leuk begon te vonden, net als jij. Hij zat er wel vier, vijf uur per dag, en op het laatst twee avonden per week. Meestal bediende hij alles zelf, maar hij begon zijn werk te verwaarlozen. Ik stond machteloos. Toen wilde hij zijn vrouw meenemen. En daarna zeker zijn kinderen...' Hij haalde zuchtend zijn schouders op. 'Mevrouw Ortiz heeft een aardig kapitaal uitgekeerd gekregen,' zei hij.

'Dat weet ik.' Ze bestudeerde hem. Haar handen rustten op haar knieën.

'Heb jij die banden opgezocht?' vroeg hij.

Ze knikte.

Hij knikte. 'Zo,' zei hij.

'Was Naomi er ook aan verslaafd?' vroeg ze.

Hij schudde zijn hoofd. Keek haar aan. 'Ik mocht de installatie van haar niet eens aanzetten,' vertelde hij. 'Ze was zo links als het maar zijn kon en deze schending van privacy bewoog haar bijna tot tranen toe. Ik heb het haar niet verteld, ze is er zelf achter gekomen. Channel Thirteen had een programma uitgezonden over elektronische beveiliging, en ik maakte een paar stomme fouten...' Hij keek op zijn horloge. 'Kleinigheden... Ik wist bijvoorbeeld waar ze haar place-mats bewaarde. Ja, we hebben een verhouding gehad, maar we zagen elkaar hoogstens een keer per week. Ze hield de boot een beetje af.' Hij glimlachte. 'Vanwege het leeftijdsverschil. Zeven jaar. Ik was toen vierentwintig, zij eenendertig.'

'Was ze van plan naar de politie te gaan?' vroeg Kay.

Pete knikte.

'Jij hebt haar gedwongen die brief te schrijven...'

'Nee, die heb ik zelf geschreven,' zei hij glimlachend. 'Ik heb hem samengesteld uit regeltjes uit haar aantekeningen en daar heb ik mooie, donkere kopieën van gemaakt. Daarna heb ik de woorden wel vijftig keer overgetrokken, net zo lang tot ik haar handschrift vloeiend kon nabootsen. Ik had alle tijd, want ik had een ton aan

Greenpeace gegeven en zij had mij een maand de tijd gegeven om de monitors op te ruimen.' Hij keek op zijn horloge.

'In het begin zul je wel...' begon ze.

Hij stond op en richtte het pistool op haar. 'Nu gaan we naar de slaapkamer,' zei hij. 'Je hoeft niet te schreeuwen. Spaar je de moeite. Vida is uit en Phil is ook niet thuis.' Hij stampte op het kleed. 'En de Ostrows geven echt een feest. Daarom ben ik nu pas gekomen.'

Ze bleef hem aan zitten staren. 'Alsjeblieft, liefje...' zei ze.

Hij boog zich naar haar toe. 'Er zit echt niets anders op,' zei hij. 'Heus, ik ben de hele nacht opgebleven om iets anders te verzinnen. Je bent net als Rocky. Sheer. Zelfs als je zou zwéren dat je je liet omkopen, dan nog zou ik je niet geloven. Schiet op. Mee.' Hij maakte een dwingend gebaar met het pistool.

Kay haalde diep adem, stond op, draaide zich half om en pakte in één en dezelfde beweging het mes van tafel en slingerde hem dat naar zijn hoofd. Ze maaide met haar arm over de hoek van de tafel. Hij dook weg. Ze botsten tegen de armleuning van de stoel, die omviel, waardoor ze allebei op het kleed belandden. Felice rende miauwend weg.

Ze rolden om. Kay lag boven en probeerde Petes hand waarin hij het pistool hield, bij de pols te pakken. Zijn andere hand sloot zich om haar keel en hij duwde haar achterover. Terwijl hij over haar heen rolde, omklemde ze zijn arm. Hij liet haar los en kwam overeind, met het pistool in zijn hand. Hij stond te hijgen terwijl zij zich op haar knieën oprichtte, steun zocht bij de tafel en over haar keel wreef.

'Ik kan het hier ook wel doen,' zei hij. 'Ik ben heel inschikkelijk.'

Kay slingerde een boek over Magritte tegen zijn kruis. Toen hij dubbelsloeg, pakte ze zijn pols met beide handen vast, trok zijn arm over haar schouder en probeerde hem ondersteboven te gooien. Hij slaakte een kreet van pijn en duwde tegen haar andere schouder. Zij trok het pistool uit zijn hand, dook weg, draaide zich om en liep achterwaarts naar het raam. Met beide handen omklemde ze het pistool en richtte het op hem, terwijl hij voorovergebogen stond en met zijn hand over zijn schouder en arm wreef. Zijn blauwe ogen keken haar strak aan.

Felice stond in de doorloop naar de keuken te miauwen.

Hijgend hielden ze elkaar in het oog.

'Ik heb op een schietbaan ervaring met zo'n ding opgedaan,' zei ze.

'Ga daar tegen de muur staan.'

Terwijl zijn ogen op haar gericht bleven, deed Pete een stap opzij. 'Kay…' zei hij.

'Schiet op.' Ze omklemde met beide handen het pistool en hield haar vinger aan de trekker. 'Hou je mond. Ik wil geen woord meer van je horen.'

Hij bleef stilstaan. 'Ook niet "vaarwel"?' zei hij. Draaide zich pijlsnel om en rende weg.

Ze volgde hem met de loop van het pistool, maar haalde de trekker niet over. Ze keek hem na. Hij ging niet naar de hal, maar rende door de gang de slaapkamer binnen. De deur viel achter hem dicht. Kay liet het pistool zakken. Staarde naar de dichte deur. Rende erheen.

En bleef staan. Koude lucht stroomde om haar enkels.

Een sneeuwvlok werd onder de deur door geblazen en veranderde in een nat druppeltje op de houten vloer.

Ze sloot haar ogen en haalde diep adem. Duwde de deur tegen de wind in open. Wijd open, tot hij tegen de muur stootte.

De gordijnen bolden op en flapperden de slaapkamer in, waar licht brandde. Het linker raam stond open, zodat wind, sneeuwvlokken en duisternis vrij spel hadden.

Ze staarde. Slikte. Leunde tegen de deurpost, sloot haar ogen en liet het pistool omlaagbungelen.

Ademde diep in. Ademde uit. Ging de slaapkamer in en legde het pistool op het bed. Ze sloeg haar armen om zichzelf heen. Er stonden tranen in haar ogen.

Ze wreef ze met haar knokkels weg en liep naar het raam. Duwde de opbollende gordijnen opzij, strekte beide armen uit en pakte de koude, bronskleurige raamstijlen beet. Boog zich naar buiten, de wind en de sneeuwvlokken in, en keek omlaag naar al het wit ver beneden haar.

De wind ging liggen. Harmonikadeuren schoven open. Ze draaide zich met een ruk om. Hij kwam op haar af en duwde tegen haar middel. Duwde haar achterover het raam uit.

13

Stof streek langs haar hand. Ze greep ernaar en werd erdoor opgevangen. Ze pakte het gordijn ook met haar andere hand beet en draaide rond. Spartelend hing ze in de lucht aan een handvol katoen en mousseline. Haar schouder bonkte tegen baksteen; een voet in een gympje schampte langs glas. Zij keek naar hem op. Hij keek uit het raam op haar neer. Het gordijn trilde; ze staarde omhoog naar de bevestiging aan het raamkozijn.

Het buitenste haakje schoot van de rail, toen het volgende, en nog een. Stuk voor stuk schoot het hele rijtje haakjes eraf, terwijl Kay zich ophees en eerst met haar ene en toen met haar andere hand het kozijn beetpakte. Ze trok zich omhoog, met haar knieën tegen de stenen, zette kracht met haar knieën en dijen en hees zich aan haar armen en vingers op. Een tochtvlaag blies in haar rug, het gordijn flapte door het raam naar binnen; er sloeg een deur dicht.

'Shit,' zei hij. Hoofdschuddend en een grimas trekkend keek hij op haar neer. 'Shit…'

Ze hing aan de buitenste metalen raamdorpel en staarde hem aan.

'Ik kan het niet doen!' riep hij uit. 'Ik moet aan mezelf denken!' Hij liep bij het raam vandaan.

Terwijl Kay naar de donkere, natte stenen staarde, haar knieën tegen een voeg gedrukt en met protesterende armen en vingers, schoof ze de vingers van haar linkerhand in de richting van de raamstijl, een paar centimeter verderop. Als ze daar goed greep op kon krijgen, en zich tegen de stenen kon afzetten… Ze moest vergeten dat ze twintig verdiepingen hoog in de wind en de sneeuw hing, aan de achterkant van een torenflat… Een straaltje ijskoud water glibberde langs haar rug; ze rilde. Hangend aan haar armen en handen zette ze zich met haar dijen en knieën af en liet haar vingers centimeter voor centimeter naar links kruipen in de koude, natte dorpel van het schuifraam. Ze keek niet naar beneden. Gewoon goede lichaamsbeweging. Op de sportschool...

'Het verhaal klopt nog steeds.'

Ze keek naar hem op.

Hij zat schuin in de vensterbank en kneep zijn ogen halfdicht tegen de sneeuwvlokken. Zijn handen, in glanzend plastic, veegden het pistool schoon. 'Je bent met hèm slaags geraakt,' zei hij. 'Daarna heeft hij je de slaapkamer in gejaagd en je naar buiten geduwd, en daarna heeft hij zichzelf doodgeschoten. Hij komt over vier minuten en ik bid tot God dat hij niet te laat is.' Hij stopte het pistool in zijn colbertje, kneep zijn ogen halfdicht vanwege de wind en fronste zijn wenkbrauwen. 'Misschien moet ik hem een duw geven...'

Kay haakte haar vingers achter de raamstijl en trok zich aan haar pijnlijke armen op. Haar rechterknie – gevoelloos, het denim doorweekt – zocht de volgende voeg in het metselwerk. Haar linkerknie volgde. Ze zette zich met beide knieën af, terwijl de vingers van haar rechterhand de dorpel omklemden.

Pete stond op en zijn in plastic gehulde hand omsloot de smalle voet van de telescoop. Hij hurkte neer en wurmde de brede kant ervan onder haar twee middelste vingertoppen in het profiel. Probeerde ze los te wrikken.

'Ik zal je nooit vergeten!' riep hij om het geluid van de wind te overstemmen. 'Ik heb de banden. Die van gisteravond, en van de avond dat je hier kwam wonen, maar die is van heel slechte kwaliteit... en van die zaterdagavond... Zes weken geleden, bijna op de minuut af...'

Hij glimlachte en bleef proberen om met de telescoop haar vingers los te wrikken, voorzichtig, alsof hij ze niet wilde beschadigen. 'We hebben samen heel wat meegemaakt, vind je ook niet?' riep hij. 'God, ik wou dat het niet zo hoefde te eindigen. Zolang ik leef zal ik naar je kijken. Ga weg, Felice.'

Felice kwam over de vensterbank aangestapt.

'Ga weg,' herhaalde hij.

Felice bleef staan, keek naar hem en liep door, naar de vingers die zich om de raamstijl sloten. Snuffelde eraan. Sissend deinsde ze terug en zette een hoge rug.

Pete kwam overeind. 'Wegwezen,' zei hij. 'Mammie is druk bezig met vallen.'

Felice bracht haar kop naar de krampachtig gespannen vingers, besnuffelde ze en siste ernaar. Ze deed nog een stapje, stak haar kop naar buiten, maar schrok terug voor de wind en de sneeuw-vlokken. Keek neer op het gezicht dat naar haar omhoogstaarde. Ze trok zich terug en snuffelde nog eens aan de vingers.

Draaide zich sissend om. Liep achterwaarts over de vensterbank.

'Rustig maar,' zei hij. 'Ik ben het. Pappa.'

Ze grauwde naar hem. Haar ogen waren tot spleetjes geknepen. Ze siste, ontblootte haar tanden en wiegelde met haar achterlijf. De staart stak recht naar achteren.

'Donder op, Felice,' zei hij en bestookte haar met de telescoop. 'Of wil je liever...'

Ze vloog sissend van zijn arm naar zijn gezicht, zette haar tanden in zijn neus en sloeg haar klauwen door zijn oogleden. De telescoop vloog door de lucht terwijl hij met zijn gladde, glanzende handen probeerde vat op haar te krijgen. Zijn gil werd in haar vacht gesmoord en hij viel achterover.

In de hal op de twintigste verdieping was geen levende ziel te beken-nen. Terwijl de liftdeur achter hem dichtschoof, keek Sam op zijn horloge. Klokslag negen uur; de wijzers vormden een volmaakte hoek van negentig graden.

Hij vroeg zich af wat Pete Hendersons ingewikkelde organisatie precies inhield. Monsterde zichzelf in de spiegel: zijn ogen waren bloeddoorlopen, hij zag er bedonderd uit. Trok de kraag van zijn colbertje zo, dat de rafels aan het zicht werden onttrokken – voor-lopig.

Hij liep naar de deur van 20B. Spitste zijn oren. Hij hoorde geen geroezemoes van stemmen. Hij drukte op de bel, die dingdongde. Hij keek naar het fraai ingepakte en bestrikte doosje in zijn hand. Hoopte maar dat het niet overdreven was. Niets meer aan te doen...

Hoorde hij binnen een kreet?

Hij probeerde de deurkruk, die meegaf.

Hij deed de deur op een kier open. Er brandde licht.

'Hallo?' riep hij in de richting van de woonkamer. 'Is daar iemand?'

Uit de slaapkamer klonk een gesmoord gekreun.

Hij duwde de deur verder open. De keuken zag er rommelig uit. Hij had gedacht dat ze netter was. Een vogel die hemelwaarts vloog, een oogverblindend schilderij van een valk of een havik of zoiets, hing tussen de keuken en de badkamer. De deur van de slaapkamer was dicht.

'Hallo!' riep hij. Toen hij het doosje op een victoriaanse kapstok zette, moest hij de wiebelende marmeren plank tegenhouden. Maakte een sprongetje van schrik toen er een mes onderuit viel.

Het lag op de grond en hij keek ernaar: een puntig keukenmes, een centimeter of achttien lang, met een zwart handvat. Hij raapte het op en bekeek het. Legde het naast het doosje op de plank.

Liep naar de deur van de slaapkamer. Er stroomde een koude tocht onderdoor. Hij klopte aan.

'Kay?' riep hij. 'Ik ben het, Sam Yale! Is alles goed?'

Gekreun.

Hij duwde de deur tegen de wind in open. Er schoot een kat – oranje, rood, wit – naar buiten. Het beest schichtte naar de woonkamer. De staart met het zwarte puntje was dik.

Hij deed de deur verder open. Keek naar binnen en werd overvallen door een gevoel van moedeloosheid.

Een man met bebloed gezicht zat op de grond naast het voeteneind van het bed; hij kreunde en stak handen waar iets bloederigs in lag naar hem uit. Pete Henderson. Met rood-zwarte gaten waar zijn ogen hadden moeten zitten, als een acteur die is geschminkt voor Oedipus' laatste scène. Een spoor van gescheurde en verfomfaaide gordijnstof liep naar het open raam, waar... Christus! Daar klom iemand naar binnen, hief een donker hoofd en keek hem aan...

Hij rende langs Henderson en knielde bij haar neer. Zijn hart bonkte. Hij greep de achterkant van haar riem beet en sloeg een arm om haar heen. Ze was koud en rilde. Haar donkere coltrui was nat. Hij sjorde haar op de vensterbank. Ze trok haar benen op en liet zich, met van pijn vertrokken gezicht, op haar zij rollen. De knieën van haar spijkerbroek waren aan rafels en er zat bloed aan. 'Mijn god!' zei hij.

Henderson kreunde.

Sam hielp Kay overeind en schoof het raam achter haar dicht. Stond op en sloot het helemaal. Knoopte zijn jasje los. 'Ik zal dadelijk een ziekenwagen bellen!' schreeuwde hij.

'Aan mijn oren mankeert niets,' zei Henderson.

Hijgend en huiverend zat Kay op de vensterbank en staarde in Hendersons richting. Ze sloeg haar armen over elkaar en stak haar handen onder haar oksels. Haar natte haar zat in de war, haar lippen zagen blauw. Toen Sam zijn colbertje om haar schouders legde, wendde ze zich naar hem toe. 'Felice?' vroeg ze. 'Mijn poes?'

'Die is de woonkamer in gerend,' antwoordde hij.
Ze zette haar handen op de vensterbank en duwde zich op. 'De douche,' zei ze.
Hij hielp haar overeind. 'Wat is er in godsnaam gebeurd?' vroeg hij. Samen liepen ze over de gordijnen heen. Sam ondersteunde haar. Hij zag dat ze hijgde en rilde. Henderson kreunde. Kay liep vlak langs de kasten en keek voor zich uit. Sam omvatte haar middel en schouder waar zijn colbertje overheen lag.
Ze zei: 'Hij was van plan... ons allebei... te vermoorden...'
'Waarom?' vroeg hij.
'Hij heeft de anderen ook gedood,' zei ze. 'Het hele gebouw zit vol afluisterapparatuur. En videocamera's.'
'Wat?'
Bij de deur deed ze het colbertje uit. 'Hij is de eigenaar,' vertelde ze. 'Daar is de telefoon. Kijk uit, hij heeft jouw pistool.' Ze gaf Sam zijn jasje terug en keek hem aan. 'Hij is de zoon van Thea Marshall,' zei ze.
'Dat dacht ik al! Videocamera's? Toe, ga nu maar, sorry.'
Ze ging naar de badkamer en knipte het licht aan. Deed de deur dicht en op slot.
Schopte haar gympjes uit. Liep naar de douchecabine. Pakte de art-decokraan. Zette het water heel warm. Terwijl het omlaagstroomde, kleedde ze zich helemaal uit, bekeek haar geschaafde knieën, handen en vingers, en masseerde haar armen.
Zette het water nog warmer.
Huilend sloeg ze haar armen om zichzelf heen.

Toen ze bij de Verticale Doodskist uit de politiewagen stapten – volgens Sams horloge was het even na tweeën – brandden er felle halogeenlampen op statieven aan weerszijden van de luifel, stonden er busjes dubbelgeparkeerd en kwam er nog een busje in vliegende vaart om de hoek van Ninety-second Street zetten. Zwarte camera's, rustend op mannenschouders, werden op hen gericht. Sam weerde ze links en rechts af met zijn omhooggestoken middelvinger. Walt zwaaide dreigend met een sneeuwschuiver.
Ze zagen kans de hal te bereiken, waar minstens twintig huurders zich om enkele radio's hadden gegroepeerd, eenstemmig van oordeel dat ze gezamenlijk een proces zouden beginnen.
'Wordt echt alles in het hele gebouw afgeluisterd en bekeken?' vroeg Vida.

'Ja,' zei Kay.

Dmitri vroeg: 'Heeft hij Rafael vermoord, en ook al die anderen?'

'Brendan Connahay niet,' antwoordde ze.

'Ze hebben banden meegenomen,' zei Stefan. 'Stonden wij daarop?'

Ze knikte bevestigend.

'Is hij blind?' wilde iemand weten.

'Ja,' antwoordde Sam. 'Beste mensen,' zei hij, met zijn handen geheven en zijn rug naar de liften toegekeerd, 'wij hebben op het politiebureau met verslaggevers gesproken. Jullie kunnen het morgen in de krant lezen. Ik wil niet onaardig doen, maar we hebben een afschuwelijke avond achter de rug, vooral mevrouw Norris. Pete Henderson ligt in het Metropolitan Hospital, onder politiebewaking. Hij zal nooit meer iets kunnen bekijken. Als u vragen heeft, moet u bij inspecteur Wright van het wijkbureau zijn. Een bijzonder aardige en voorkomende man, dat zult u wel merken. Bedankt.'

Ze gingen in de rechter lift naar boven.

Kay zette echte koffie, die ze op de bank opdronken. Felice lag opgerold op haar schoot te slapen.

'Dat wordt de beroemdste poes van het hele land,' zei Sam. 'Die mag nog eens een avondje stappen met Morris uit *Nine Lives*.'

Kay nam een slok koffie. 'Wat hebben ze daar nou aan,' zei ze.

Glimlachend bestudeerde hij haar. Nam een slok, keek omhoog naar de plafonnière. 'Ongelooflijk,' zei hij. 'Televisiewaanzin... Ach, het zat er dik in dat die vroeg of laat zou toeslaan.'

'Hij is niet de eerste die eraan lijdt,' zei ze. 'Er is ook nog een hotel dat vol apparatuur zit, en een paar andere flats. Tenminste, dat zei hij. Sam, hoor eens.' Ze keek hem aan. 'Ik verzeker je dat ik nooit naar jóu heb gekeken. Dat heb ik meteen als voorwaarde gesteld: geen Sam en geen badkamers.'

'Toch een prettig idee dat je zo kieskeurig was,' zei hij.

'Je hebt geen idee hoe fascinerend het is,' zei ze. 'Je kunt er absoluut niet mee ophouden. Er gebeurt altijd wel iets nieuws en zelfs prozaïsche dingen worden boeiend, want het is echt, en je weet nooit wat er nog meer komt.'

Ze dronken verder van hun koffie.

'Ik ga naar beneden,' zei ze. 'Er zijn banden die ik wil vernietigen, banden die ze waarschijnlijk niet hebben gevonden. Banden waar ik op sta. En de banden die ze zoeken liggen daar misschien ook, al kan het zijn dat hij ze heeft gewist. Maar ik heb zo'n idee dat hij dat niet heeft gedaan, zeker niet als hij vanavond wilde opnemen.'

'Ik snap er niets meer van,' zei hij.

'Geeft niet,' zei ze. 'Maar ik ga naar 13B. Ga je mee?'

Ze keken elkaar aan.

'Alleen om die banden op te zoeken,' zei ze. 'Niet om te kijken.'

'Is de deur niet verzegeld?' vroeg Sam.

'Provisorisch, denk ik,' antwoordde Kay. 'Ik heb een sleutel. Wees maar niet bang, ik zal inspecteur Wright precies vertellen wat ik heb gedaan en waarom, zelfs al vind ik die andere banden niet. Ik weet zeker dat hij er begrip voor heeft. En anders is het mijn verantwoordelijkheid.'

Hij krabde achter zijn oor. 'Tja...' zei hij. 'Het lijkt me beter dat ik meega. Er is per slot van rekening een kleine kans dat ik die miniserie ga regisseren.'

'Hoezo, "een kleine kans"?' zei ze terwijl ze zich vooroverboog en haar beker op tafel zette. 'Dat komt in het contract te staan.' Ze nam Felice op de arm, stond op en draaide zich om. Toen ze haar voet neerzette, vertrok haar gezicht van pijn. 'O Jezusmina, mijn knieën,' zei ze.

'Ach ziel,' zei hij met een zorgelijk gezicht terwijl hij opstond en naar haar keek.

Ze zette Felice in het kuiltje van het kussen. Bukte zich en drukte een kus op haar kop. 'Brave poes,' zei ze. 'Je was geweldig.' Kuste haar op haar neus. 'Van nu af aan krijg je alleen nog maar tonijn.' Felice drukte zich dieper in het abrikooskleurige velours en begon met dichte ogen te spinnen. Haar snorharen trilden.

Ze liepen naar de gang. Kay zei: 'Ik wil wedden dat iedereen nog op is en over de zaak zit te praten.'

Sam deed de deur naar de hal open en liet haar voorgaan. 'Ik zou best heel eventjes willen kijken,' zei hij en volgde haar.

Ira Levin heeft nog meer romans geschreven: *Een kus voor je sterft, Rosemary's baby, De dag der dagen, De vrouwen van Stepford* en *De jongens uit Brazilië*. Van zijn hand verschenen ook toneelstukken zoals *No Time for Sergeants, Cantorial* en *Moordkuil*, de thriller die langer is opgevoerd dan welk ander stuk in de historie van Broadway ook.

Ira Levin werd in 1929 in New York City geboren en studeerde aan de New York University. Hij begon zijn carrière tijdens de 'gouden eeuw' van de televisie, met het schrijven van toneelstukken voor de series *Lights Out* en *The United States Steel Hour*. Hij heeft twee keer de Edgar Allan Poe Award gewonnen, is lid van het bestuur van de Dramatists Guild en woont in de wijk Carnegie Hill in Manhattan, waar *Sliver* zich afspeelt. Hij heeft drie zoons.

Lees ook van A.W. Bruna Uitgevers B.V.

Ira Levin

De jongens uit Brazilië

São Paulo, een avond in september.
Een groep zakenmannen, gedistingeerd en zelfverzekerd, komt
bijeen in een restaurant. Tijdens het diner ontvouwt een in het
wit geklede man een zeer sinister plan. Binnen twee jaar
moeten er
94 mannen, verspreid over de hele wereld, worden vermoord.
Twee dingen hebben ze gemeen: hun leeftijd en een
dertienjarige zoon, allemaal van hetzelfde adoptiebureau.
Het gesprek wordt ondanks de strenge veiligheidsmaatregelen
afgeluisterd. De informatie wordt doorgegeven aan de
Oostenrijkse nazi-jager Yakov Liebermann. Liebermann begint
vervolgens aan zijn grootse jacht op *De jongens uit Brazilië*.

ISBN 90 449 1796 X

Lees ook van A.W. Bruna Uitgevers B.V.

Ira Levin

De dag der dagen

Ira Levin, die door zijn (verfilmde) boeken *Rosemary's baby*
en *De jongens uit Brazilië* wereldberoemd werd, verdiepte zich
met *De dag der dagen* in een thema waarin George Orwell en
Aldous Huxley hem zijn voorgegaan: de schijnbaar zo perfect
georganiseerde wereld van morgen.
Hoofdpersoon Chip verzet zich steeds koppiger tegen die
wereld, waarin weliswaar geen geweld, haat en rassenscheiding
meer voorkomen, maar ook geen liefde, vriendschap en
emoties.
In volmaakte welvaart leeft ieder zijn volkomen bevredigende,
maar zeer beperkte leventje.
Als Chip zijn maandelijkse injectie misloopt, ontdekt hij dat er
ook andere mogelijkheden bestaan en dat hij niet de enige is
die een andere vorm van leven zoekt.

ISBN 90 449 1835 4

Lees ook van A.W. Bruna Uitgevers B.V.

Ira Levin

Rosemary's baby

Rosemary en Guy Woodehouse, pas getrouwd en dolgelukkig,
betrekken een appartement in een fraai oud gebouw in
New York. Hutch, een oudere vriend, weet hun echter te
vertellen dat het pand een slechte naam heeft omdat er in
het verleden lugubere dingen gebeurd zijn. Maar Rosemary en
Guy, jong en optimistisch, leggen deze onheilspellende
waarschuwing naast zich neer en maken kennis met hun buren,
een vriendelijk, wat ouder echtpaar.
Hun geluk is compleet als Rosemary in verwachting raakt.
Totdat Rosemary ontdekt dat er aan de vriendelijkheid van de
buren een vreemd luchtje zit. Ze maakt zich ernstig zorgen
over het welzijn van haar baby. Maar niemand, zelfs Guy niet,
gelooft haar en zo raakt ze steeds meer geïsoleerd...

Een huiveringwekkende occulte thriller, die door Roman
Polanski op sensationele wijze is verfilmd.

ISBN 90 449 1483 9

John Sandford

Blinde haat

Lucas Davenport is een ongewone politieman. Hij valt niet alleen op vanwege zijn onconventionele, nietsontziende manier van werken, maar vooral vanwege zijn luxe levensstijl.

Michael Bekker, een meedogenloze patholoog, die wegens een aantal uiterst koelbloedige moorden is gearresteerd, weet op geraffineerde wijze te ontsnappen.
Opnieuw ziet hij kans weerzinwekkende experimenten uit te voeren op zijn slachtoffers, die de dood nabij zijn.
Ten einde raad doet de recherche een beroep op Lucas Davenport, die in *De ooggetuige* al met Bekker in aanraking is gekomen en hem als geen ander kent.
Maar er dreigt ook nog gevaar uit een heel andere hoek...
De mooie Lily Rothenburg, voor wie Lucas een niet te verwezenlijken liefde heeft opgevat, leidt een ander onderzoek op hetzelfde politiebureau. Als beide zaken met elkaar verweven raken, worden de ex-geliefden tegen wil en dank weer naar elkaar toe gedreven...
De levensgevaarlijke Bekker zet ondertussen zijn bloedstollende activiteiten voort...

ISBN 90 449 2508 3

Lees ook van A.W. Bruna Uitgevers B.V.

Ira Levin

De vrouwen van Stepford

Joanna en Walter Eberhart, een jong echtpaar, kunnen zich
eindelijk veroorloven naar het welvarende forensenstadje
Stepford te verkassen. Al gauw raken ze bij het wel en wee
van de bewoners betrokken, maken ze nieuwe vrienden en
voelen ze zich er thuis en gelukkig.
Het valt Joanna wel op dat alle vrouwen in Stepford keurig
kloppende en vegende huisvrouwen zijn, van het type dat ze
tot dan toe alleen uit reclamespotjes kende.
De mannen daarentegen hebben een eigen, niet voor vrouwen
toegankelijk clubhuis.
Joanna is vastbesloten hier iets aan te doen. Tot ze een aantal
vreemde ontdekkingen doet, die haar langzaam maar zeker met
afschuw vervullen.

ISBN 90 449 1540 1

Lees ook van A.W. Bruna Uitgevers B.V.

Ira Levin

Een kus voor je sterft

Een kus voor je sterft is de fascinerende geschiedenis van een knappe, in wezen zachtmoedige jongeman die zonder veel inspanningen rijk wil worden. Schatrijk liefst.
Hij heeft een groot talent voor intrige en moord, een onweerstaanbare aantrekkingskracht op vrouwen en een totaal gebrek aan geweten. Zijn slachtoffers zijn onschuldige, nietsvermoedende jonge vrouwen, die oprecht van hem houden. Maar ook hier vindt het recht zijn loop, zij het dan langs geheel onvermoede wegen.

ISBN 90 449 2349 8